新・日英同盟と脱中国 新たな希望

元駐ウクライナ大使
馬渕睦夫 × 岡部伸
産経新聞前ロンドン支局長

ワニブックス

まえがき

武漢肺炎の世界的拡大と不正アメリカ大統領選挙のために、私たちは一瞬にして暗黒の世界に放り込まれてしまいました。２０２１年は、各国が生き残りを求めて自らの取るべき道を選択しなければならない正念場と言えます。このような中で、自国の活路を日本との同盟に見出したのが、昨年ＥＵ（欧州連合）から離脱したイギリスです。

このたび、産経新聞のロンドン支局長を務めておられた岡部伸論説委員と対談する機会を得ました。岡部氏は同紙のモスクワ支局長も経験されており、イギリスの日本にかける熱い思いと、メディアがあまり報じないロシアの実像に関して私たちの対談は大いに盛り上がりました。

岡部氏は行動派と学究肌を兼ね備えたジャーナリストで、両国における徹底した取材活動に基づいて対談に知的刺激を与えてくださったおかげで、本書は日英関係や日露関係の研究者にとっても資料的な価値が高い内容になったと喜んでいます。

イギリスはＥＵと決別というそれまでの国家戦略を百八十度転換する大事業に打って出ました。基本的に大陸の組織であるＥＵを離れ、伝統的な海洋国家として新たな道に乗り出したわけです。かつて、七つの海を支配し、日の沈む時がない大帝国であったイギリスも、第二次世界大戦後には次第に植民地から撤退し、1970年代に入ってついに大陸国家の経済共同市場であった欧州経済共同体（EEC）に加入するまでになりました。

EECはやがてEC（欧州共同体）さらにはEUへと深化してゆきましたが、それは海洋国家イギリスが伝統を次第に喪失してゆく歴史でもあったのです。2016年6月のEU離脱を決めた国民投票は、イギリスの伝統を取り戻すべきだとする国民感情が勝ったといえる結果でした。同じ年の11月のアメリカ大統領選挙においてトランプ氏が当選したことと並んで、EU離脱は世界の潮流がナショナリズムに傾き始めたことを象徴する世界史的事件であったと、将来の歴史家から評価されることになるでしょう。

脱EU「イギリス・ファースト」を選択したイギリスにとって、将来の活路は海洋国家の伝統に回帰することでした。歴史的に見れば、国家的危機にあっては復古することによって危機を克服する知恵が出てくることがわかります。EUのメンバーとして経済的恩恵を得てきたイギリスが、あえて経済よりも伝統文化を選択した国家意思は、現在米中の狭間《はざま》にあって態度を決めかねている我が国にとって大いに教訓になるところです。

そのアメリカは昨年（2020年）11月の大統領選挙で前代未聞の不正が行われた結果、選挙で圧勝していたトランプ大統領がホワイトハウスを追われました。アメリカ民主主義が幻想であったことが白日のもとにさらされたわけです。アメリカ留学経験のある岡部氏とニューヨーク勤務を経験した私は、今回の大統領選挙の意義を歴史的視点も含め論じ合いました。トランプ氏が去った今、正統性を欠いた新政権のもとで、これまで通り日米安保同盟に安住していてよいのか、政府はもちろん読者の皆様方にも私たちと共に考えていただきたいと思います。

ナショナリズムの原点は、経済ではなく文化です。人間は生きる上で経済活動はもちろん必要ですが、文化を失った経済からは精神の欲求は満たされないのです。政府や経済界が中国マーケットの魅力から抜け出せず、香港や新疆《しんきょう》ウイグル自治区での人権弾圧を厳しく非難している世界の潮流に反して中国に忖度《そんたく》している現状は、日本人の倫理の劣化を証明して余りあります。経済的利害の観点からのみ行動すると、道義を失う結果になってしまいます。今の日本に必要なことは、日本ファーストの精神のもと、短期的な経済的利益よりも悠久の歴史が持つ伝統的精神を重視することです。イギリスに倣《なら》えば、脱大陸国家中国であり、海洋国家日本への回帰です。この路線こそ新たな日英同盟に繫がる自然の道であり、それが2021年以降の日本の国益に合致していることを、本書から汲み取っていただければ幸いです。

日本の脱中国を成功させるためのもうひとつの重要な選択は、ロシアとの関係強化です。ヤルタ密約問題を掘り下げて取材された岡部氏の北方領土交渉に関する指摘については、ぜひ政府も耳を傾けて欲しいと思います。我が国がロシアに対して正しい認識ができない最大のガンは、メディアやロシア専門家のロシア性悪説的なロシア観です。岡部氏には自らの旺盛な取材から得られた客観的なロシア像を披露してもらいました。ロシア嫌いのジャーナリストやロシア専門家にはぜひ参照していただきたいと思います。プーチン大統領は決して領土拡張主義者でも、無慈悲な独裁者でもありません。日本の哲学や文化を愛している本当の意味での親日家なのです。政府も北方領土交渉を進める意思があるのなら、ヤルタ密約を否定しているアメリカやイギリスの協力をも引き出して、ロシア側を論破することが求められます。私たちの対談がそのための一助になれば、望外の幸せです。

本書は「未来ネット（旧林原チャンネル）」で行った二人の対談を基に、言い足りなかった点をそれぞれが加筆して完成しました。この場を借りて、対談の機会を提供してくださった未来ネットの濱田麻記子社長、書籍にまとめてくださったワニブックスの川本悟史氏に感謝申し上げます。

令和3年4月吉日

馬渕睦夫

第1章 米国大統領選挙と〝世界最終戦争〟の到来

第2章 新・日英同盟 〜英国とインテリジェンス〜

第3章 近現代史が教えてくれる、北方領土問題の解決法

第4章 習近平・中共との戦い

第5章 もっと"日本の武器"を自覚せよ

装丁・本文デザイン　木村慎二郎

※敬称につきましては、一部省略いたしました。
役職は当時のものです。
※写真にクレジットがないものは、パブリックドメインです。

第1章

米国大統領選挙と〝世界最終戦争〟の到来

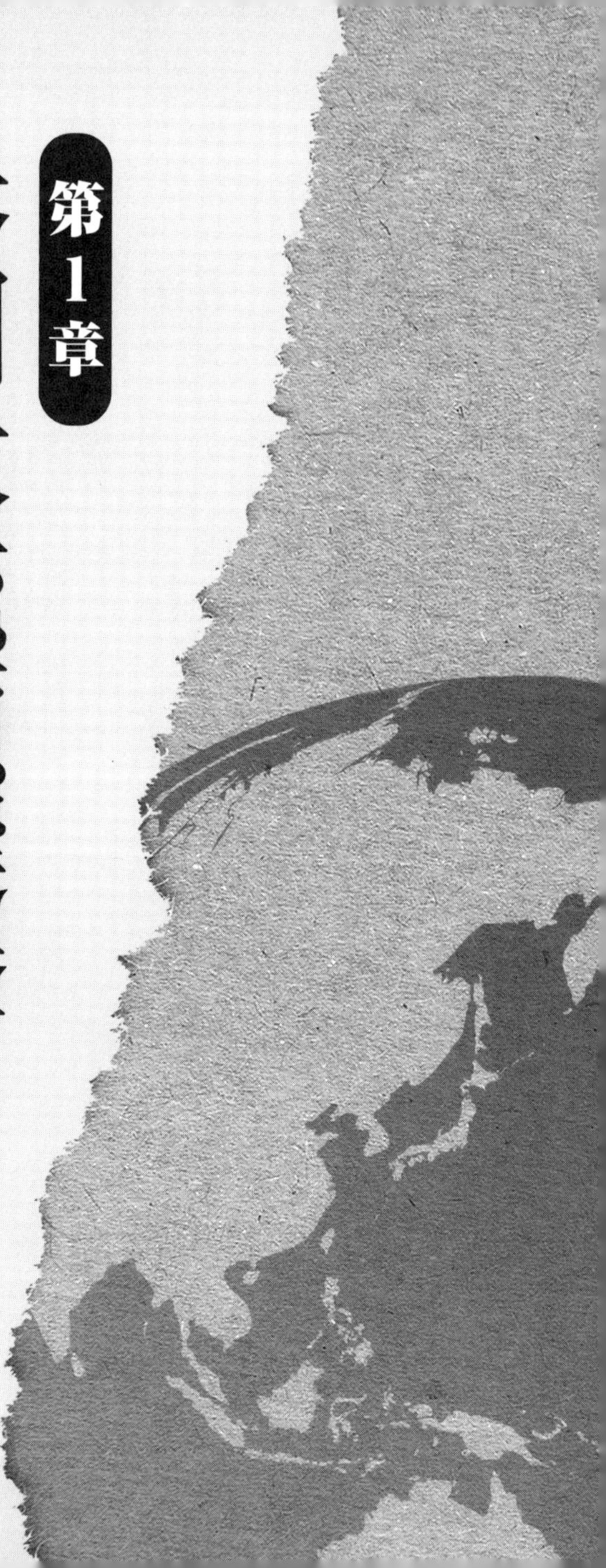

２０２０年アメリカ大統領選挙は世界史的な大事件だった！

――２０２０年のアメリカの大統領選挙は多くの問題を残したまま、２０２１年1月20日に共和党のドナルド・トランプ政権から民主党のジョー・バイデン政権に移行することになりました。まずは今回の大統領選挙を振り返ってみて、いかがでしょうか。

馬渕：今回のアメリカ大統領選挙を世界史的な視野で振り返ってみた場合、私は大きく４つのポイントがあると思っています。

１つ目のポイントは、ロシア革命との類似点です。

ロシア革命はご存じの通り、１９１７年にロシア帝国を崩壊に導いた革命で、少数派のボリシェヴィキ（ウラジーミル・レーニンが率いたソビエト共産党の前身）が、当時の政権（アレクサンドル・ケレンスキーを首班とする臨時政府）を武力で倒したクーデターです。今回のアメリカの大統領選で行われていたことはそれと同じなんですね。

つまり、本来なら選挙で大敗していたはずの少数派のバイデン陣営が、不正選挙という手段を使って、合法的で正当なトランプ政権を潰したというわけです。

トランプ大統領は前々から、自らの勝利を確信していながらも、最後は「法廷闘争になるだろう」と明言していました。大規模な不正が行われることをあらかじめ見越していたのです。

岡部：トランプ陣営にとって痛かったのはやはり郵便投票でした。一夜にして、ウィスコンシン州とミシガン州のバイデン票が数十万単位で増えましたからね。

馬渕：常識的に考えてあり得ないですよ。一方、フロリダ州の郵便投票は11月３日までに開票集計したので、数字を上乗せすることはできなかった。いわゆる激戦州の郵便投票がなぜ「不正」なのかといえば、３日以降の投票まで認めているためです。しかも、消印や署名がなくても票として認定されています。

そうすると、たとえばミシガン州でトランプ大統領が30万票の差をつけていたら、３日以降、30万強を郵便投票で上乗せすればいいことになります。トランプ大統領の票の動きを見ながら、民主党側が勝つための不法上乗せに動いたのです。しかも、郵便投票にトランプ大統領の名前がまったくなくて、投票用紙の一束すべてがバイデンの名前なんてことがあり得るでしょうか。魔《ま》訶《か》不思議としか言いようがありません。

ドナルド・トランプ

ジョー・バイデン

岡部：そもそもルールづくりが杜撰《ずさん》でした。死亡者や引っ越しで住民不在の家庭にまで投票用紙が届いていたと聞いています。しかも、本人確認の方法も曖昧でした。郵便投票は不正のリスクがあると、ずっと言われていましたが、民主党側からすると、郵便投票をしなければ選挙に勝てないのはわかっていたのではないでしょうか。

馬渕：だからこそ、民主党寄りの大手メディアが一丸となって、郵便投票を推し進めたのです。

岡部：それを後押ししたのが新型コロナウイルスの流行ですよね。トランプ陣営は、不正の温床になるとわかっていながらも、今回ばかりは郵便投票の拡大を認めざるを得ませんでした。何よりトランプ大統領自身がコロナに感染したから、郵便投票の流れを押しとどめることができなかった。その時点で、トランプ大統領の再選に黄信号が灯ったわけです。

アメリカの民主主義は幻想だった

馬渕：いずれにせよ、負けた方が勝った方を引きずり下ろすという意味で、あれはクーデターだったと言えます。ロシア革命と今回の大統領選挙は、そうした類似点があるんですね。

続いて、２つ目のポイントは、ケネディ暗殺です。

これまでメディアは1963年11月22日に起こったジョン・F・ケネディ大統領暗殺事件をリー・ハーヴェイ・オズワルドの単独犯だと我々に信じ込まそうとしてきました、でも、今やそれを信じる人はほとんどいません。誰もいないと言ってもいいぐらいですね。

事件の直後には、当時の連邦最高裁判所長官のアール・ウォーレンを委員長とする調査委員会が作られて真相を調べたわけですが、そのウォーレン報告書はまだ封印されたままです。

岡部：２０３９年に公表予定ですよね。

馬渕：はい。ケネディ暗殺に関しては、今までいろんな人が研究していますし、私自身も調べてみましたが、結局これは、アメリカのＣＩＡとＦＢＩが関わっているんです。そもそも大統領を暗殺するなんていう大それたことは、情報機関や治安当局が関与していないとできません。

ジョン・F・ケネディ

これは公表されている映像ですけど、ケネディ大統領が撃たれた時、銃弾は、一方向だけじゃなくて、複数の方向から

きています。最初は後ろから撃たれて、次は前から撃たれている。後ろから撃ったと証言しているオズワルドが突然、前にきて撃てるはずがないわけですよ。そんなことわかりきっているのに、主要メディアも含めて、まだみんなごまかしているわけですね。

まだ我々は真実を知らないんですが、いずれにしてもこれは、CIAやFBI、それから警察も絡んでいることは間違いないと思います。その証拠に、オズワルドは警察に逮捕された後、警察署内で暗殺されているんですよ。しかも〝銃弾〟で。そんなことは普通、起こりません。ということは、警察も〝グル〟だったということです。

これだけの「国家ぐるみの犯罪」ができるわけですから、今回の大統領選挙でも、情報機関のCIAや捜査機関のFBI、その元締めの司法省、あるいは警察などの治安機関も一部関係していると思われます。それらが絡まないとできないことなんです。

だからそういう意味で、まさに「国家ぐるみの犯罪」であるという点において、今回の大統領選挙とケネディ暗殺には、類似点があるわけです。

トランプ大統領は勝敗もさることながら、合法な投票による選挙結果にこだわっているわけです。不法投票で大統領が当選する事態になれば、それこそ米国民主主義の終焉《しゅうえん》ですから。

岡部：ウィスコンシン州やミシガン州、ペンシルベニア州、ジョージア州などは、州選挙管理委員会は民主党系が牛耳《ぎゅうじ》っていました。共和党関係者は監視のために開票作業場に入室することを禁じられたという話もありましたね。まるでソ連崩壊直後の１９９０年代に駐在したロシアの選挙のようです（笑）。健全な民主主義国家の選挙とは到底言えない気がしました。

馬渕：米国の民主主義は幻想にすぎなかったことが、今回の選挙で白日のもとにさらされたのです。

南北戦争と２０２０年アメリカ大統領選挙の共通点とは？

馬渕：３つ目のポイントは、南北戦争です。

やはり今日の民主党という存在と、南北戦争の歴史は、切っても切れない関係にあります。ご存じのように、今日のアメリカの二大政党は、民主党と共和党ですよね。実は民主党の方が先に誕生し、その後に共和党ができました（民主党は１８２８年1月設立。共和党は１８５４年3月20日設立）。共和党が北部中心だったのに対して、民主党はいわゆる南部中心、つまり奴隷制を支持する政党だったんですね。今でこそ彼らは「黒人差別反対！」なんて言っていますけど、歴史的に見れば「黒人差別政党」だったわけです。今日の民主党を理解するにはまずそのポイントを押さえておかないといけません。

我々はこれまで学校で南北戦争を「奴隷制をめぐる戦い」だと習ってきましたが、事実はまったく違います。「奴隷制の廃止」というのは北部側が結局、世論の支持を得るために戦争の大義として掲げたにすぎません。北部を率いたエイブラハム・リンカーン（1809〜1865）も奴隷を所有していたと言われていますよね。

ようするに、奴隷制廃止云々はマイナーな理由というか、後で取って付けた理由であって、真の理由は、これは岡部さんが詳しいと思いますけど、イギリスがそそのかしたというわけです。当時のイギリスはベンジャミン・ディズレーリ（1804〜1881）という、ユダヤ系の最初の首相ですね。

岡部：はい。英国が栄えた19世紀後半のビクトリア女王時代の首相です。小説家としても活躍しました。ユダヤ人ながら保守党内で上り詰め、保守党首となり、首相を2期務めました。初代の「ビーコンズフィールド伯爵」としてロンドンのウエストミンスターのビッグベンの前にあるパーラメントスクエアにチャーチルやネルソンらとともに彫像が立てられています。

保護貿易を進め、スエズ運河の買収、ロシアの南下政策阻止、インド帝国の樹立など帝国主義政策を推進しましたが、「最悪の事態に備える」という彼の言葉は、危機管理や有事の鉄則となっています。

南北戦争で、イギリスは綿花の輸入先だった南部を支持したと言われています。

馬渕：そもそも、なぜイギリスがアメリカの分裂を図ったかというと、当時アメリカ合衆国がいよいよ覇権争いでイギリスを抜きつつあったわけです。だから、それにイギリスが危機感を抱いた。

もっとはっきりいえばシティ（City of London：ロンドン中心部にある世界的な金融街）の金融資本家たちが危機感を抱いたというわけです。

ベンジャミン・ディズレーリ

当時の彼らの金ヅルは南部だったわけですね。彼らが南部の綿花栽培に投資して、そのカネで南部の連中は奴隷労働を使って安く綿花を作る。そして、それをイギリスに輸出してマンチェスターなどの繊維産業を栄えさせ、イギリスがその繊維を世界に売って儲けていたという構図です。

ところが、やがて北部が工業化してくると、国内産業を守り育てるために、いわゆる保護主義政策を行います。つまり、競争相手であるイギリス製品に高い関税をかけるようになったわけです。これで北部と南部の利益は相反するようになりました。

そこにイギリスが目をつけて、南部に対して「北部と一緒にやっていたらあなた方の未来はない。だから、アメリカ連邦から脱退しろ」とそそのかします。その結果、南部のかなりの州が連邦を離脱して起こったのが南北戦争なんです。

岡部：南北戦争の背後にあったイギリスの存在は、よく言われます。産業革命を成し遂げ、世界の工場と言われたマンチェスターなどでは、南北戦争が始まると、頼っていた南部からの綿花の輸出が途絶え、「綿花飢饉《ききん》」と呼ばれる事態になりました。輸入の4分の3を占めていたアメリカからの輸出が、5％程度まで下がり、工場は大半が操業中止となり、労働者は、リンカーンを支持しました。

しかしイギリスとしては、南部を支持しました。初期は少数派の南軍が優勢で、当初リンカーンが唱えていたのは新しくできた州に奴隷制度が拡大することに反対する立場で、奴隷制度自体は否定していなかったからです。

ところが奴隷制度を批判的に描いた『アンクル・トムの小屋（Uncle Tom's Cabin）』（アメリカの女性作家ハリエット・ビーチャー・ストウの小説。1852年刊）がベストセラーとなり、北部で奴隷制反対が高まると、リンカーンは、奴隷解放路線に舵を切り、国際世論に訴えました。
１８６３年1月1日、奴隷解放を宣言すると、イギリスは、北部支持に寝返ったと言われます。南北戦争は開始から4年後の１８６５年に北軍の勝利で終結、分裂危機は回避されましたが、イギリスも新興の大国、アメリカの勃興を恐れ、分断させたかったというのは同感ですね。さらにその背後にシティの金融資本家たちがいたというのはその通りだと思います。

馬渕：結局、南北戦争の時には背後にイギリスがいたわけです。イギリスというより、先ほども述べた通り、シティがいた。つまり、今回の大統領選挙との共通項でいえば背後に「ディープ・ステート」がいたということになるんですね。

トランプもその名を口にした「ディープ・ステート」とは？

馬渕：ご存じのない読者の方もたくさんいらっしゃるでしょうから説明しておくと、「ディープ・ステート」というのは、読んで字のごとく「深く潜伏している〝見えない国家〟」のことです。
私たちが普段目にしている「表の国家」、つまりアメリカやイギリスなどといった国々を背後から操ってきた「影の支配者」だといえば、大まかなイメージをつかみやすいでしょう。彼らは今回の大統領選挙に限らず、100年以上前から数々の歴史的な事件と裏で関わりながら世界情勢をコントロールしてきました。

具体的にどういう人たちなのかということは、これから岡部さんとお話を進めていくうちに読者の方にも徐々にわかっていただけるかと思いますが、全体像だけ端的に言うと、マネーの力で世界経済を支配する国際金融家たちを中核とした勢力です。

より具体的に言うなら、今日ではWASP（White, Angro-Saxon, Protestants：アメリカ建国の主体となったイギリス系移民の子孫）に代わってアメリカのエスタブリッシュメント（支配階級）となった左派ユダヤ人勢力ですね。

アメリカのユダヤロビーはウォール街の金融資本家が中核ですが、彼らがディープ・ステートの本丸です。トランプ大統領は彼らを名指しせずに「ディープ・ステートとは選挙の洗礼を受けずに自分たちの秘密の計画を遂行している官僚群だ」という言い方で牽制していましたが、その官僚を送り込んでいるのは誰か？　言うまでもなくウォール街の金融資本家です。有名なユダヤ人投資家のジョージ・ソロスなどがその典型ですが、彼らは国家の枠を超えて活動する「グローバリスト」であり、政治的に強い影響力を持っています。

話を戻すと、ようするに南北戦争の時にアメリカを分裂させようとしたのも、今回の大統領選挙でアメリカの分断を企《たくら》んだのも、同じくディープ・ステートだったというわけです。

ディープ・ステートに牛耳られたメディアがアメリカの分断を進めている

馬渕：今回の大統領選挙の問題点は、南北戦争と重ねることでいろいろと浮かび上がってきます。ようするに今、アメリカは共和党と民主党の両党がアメリカを事実上、二分する戦いになっているわけですね。激しい訴訟《そしょう》合戦が行われていたのも記憶に新しいところです。まあ「合戦」というよりも、民主党がただ反対していただけですけど、共和党主導のもとにいろんな訴訟が行われていました。それで事実上アメリカは完全に二つに分かれて、まさに南北戦争状態だったわけです。ただし、それは南北の地理的な分断じゃなくて、グローバリストの民主党と、ナショナリストの共和党の分裂ですけどね。

岡部：日本の大手メディアに身を置く私にとっては耳が痛い話ですが、アメリカの分断に関してはメディアも積極的に加担していました。特に民主党系のメディアの「トランプ降ろし」はひどいものでした。トランプ大統領の抗議を、まるで悪あがきして、権力にしがみついた醜い姿という論調で報じてきました。

しかし、そもそも大統領選で法廷闘争を最初に仕掛けたのは、民主党でした。２０００年の大統領選で共和党のジョージ・Ｗ・ブッシュが当選したとき、民主党のアル・ゴア側はフロリダ州の再集計を求めて、法廷闘争に持ち込みました。選挙人投票直前の12月12日、最高裁が棄却し、そこで初めて、ゴアは敗北宣言を出しています。

馬渕：今回の大統領選の「勝利宣言」にしても、バイデンはまだ結果が出ていないタイミングで〝勝利への希望〟に言及しました。このような発言があったから、既成事実化を避けるためにトランプ大統領も自らの〝勝利への可能性〟を表明せざるを得なかったわけです。

今までの大統領選は、敗北宣言が先です。それを受けて、勝利宣言がある。２０１６年の大統領選挙ではヒラリー・クリントンでさえ、先に敗北宣言を出しています。トランプ大統領は、それを受けて勝利宣言しました。

どちらかが敗北宣言をするまでは、両者とも一言も勝ち負けを口にしない。それがアメリカ大統領選の伝統と格式でもありました。ところが、バイデンはそのルールを一方的に破ってしまったのです。そんなバイデンがトランプ大統領に「敗北を認めないのは恥だ」というのは、お門《かど》違いも甚だしい。

岡部：そうです。バイデンは戦いの途中で「勝利を確信している」と言ってしまった。決着がつくまで、絶対に口にしてはいけない言葉です。だから、トランプ大統領もバイデンの会見を受け「勝利するだろう」と言わざるを得なかった。そう言わないと、大手メディアが「バイデン勝利」とどんどん報じ、法廷闘争の話もないものとして扱われる恐れがあったためです。ですが、多くのメディアはトランプ大統領の勝利宣言だけをとらえて、批判を繰り返したことは残念でした。

馬渕：結局、メディアの多くはディープ・ステートに支配されているのです。トランプ大統領は「健全なメディアは問題ないが、ディープ・ステートに牛耳られたメディアは、米国にとって害をなしている」といつも言っていましたからね。

プーチン大統領がこれからの世界のカギを握っている⁉

馬渕：将来の見通しについてはまた別の項で議論することになるかと思いますが、結局こうした傾向、つまりアメリカ分裂は、バイデン政権後もしばらく続いていくと思います。ひょっとしたらアメリカが本当に南北戦争の時と同じように、どこかの州が独立して離反していく可能性さえあるわけです。ですから、「南北戦争」という視点から今の大統領選挙を見ると非常にクリアに見えてきます。

ところで、大統領選挙そのものというよりも、大統領選挙後の世界にとって、メディア等でまったく議論されてないのがウラジーミル・プーチン大統領率いるロシアの役割なんです。ロシアがこれからどう動くかということがバイデン政権後の世界を決定づけることになります。

学校の教科書には出てこない歴史的事実なのですが、実は南北戦争の時、ロシア皇帝アレクサンドル２世（１８１８〜１８８１）が北部を助けるためにアメリカ沿岸のニューヨークとサンフランシスコに艦隊を派遣してイギリスの介入を阻止しています。

アレクサンドル２世

このロシアからの援軍は、北部を率いるリンカーンにとって、勝利に結びつく非常にありがたい助っ人になりました。言うなれば、当時アメリカはロシアのおかげで分裂を回避することができたわけです。

奇しくもそれは、状況的には〝今〟とよく似ています。トランプ大統領はもともとロシアのプーチン大統領と馬が合いました。彼らの共通項は何かというと、二人ともグローバリズムに異を唱えるナショナリスト、つまり〝愛国主義者〟だということです。

本来であれば手を取り合って協力すべき二人でしたが、ディープ・ステートが邪魔をしたため、なかなかうまくいきませんでした。そして、トランプが大統領選の結果、表舞台から遠ざけられた今、やはりこれからの世界のキーパーソンになるのはプーチンだと思いますね。

岡部：そうですね。プーチンがこれからのキーパーソンだというのは、その通りかもしれません。大統領選を振り返ると、世界の主だったリーダーたちの中で唯一、ロシアのプーチン大統領だけが「公式な結果が出るまでは大統領選挙の勝者を認めるのは保留する」として、ずっとバイデンに祝意を贈っていませんでした。ようやく２０２０年12月15日になって祝電を送りましたが、それまではバイデンのことを正統性のある大統領だと認めていなかったわけです。米国は、欧州連合（ＥＵ）と同様に、反体制派指導者アレクセイ・ナワリヌイ氏の

ウラジーミル・プーチン

毒殺未遂および収監に抗議し、対ロシア制裁を発動するなど米露関係はバイデン政権になって、やっぱりいっそう険しくなりました。

リンカーンが暗殺された本当の理由とは？

馬渕：話を戻しましょうか。今回のアメリカ大統領選挙を世界史的視点でとらえた場合の4つ目のポイントは、アンドリュー・ジャクソン（1767〜1845）です。

岡部：アメリカの第7代大統領ですね（在任期間：1829〜1837）。

馬渕：はい。ジャクソンについては、メディアはもちろんネットでもあまり話題になっていないんです。

ジャクソンの話をする前にひとつ補足しておきますと、先ほど南北戦争の時にロシア皇帝アレクサンドル2世が北部を支援したことに触れましたが、これと同じく学校の教科書には出てこない南北戦争の歴史的事実があります。それは、北部を率いたリンカーンが戦費を調達するのに、ロンドンのシティからおカネを借りず、むしろそれを拒否して政府の通貨を発行したことです。

これに対してロンドンのシティと彼らの代理人である『ロンドン・タイムズ』（イギリスを代表する高級日刊紙。イギリスの政治・外交に影響を与え、国際的な影響力も大きい。1785年創刊）が噛みついています。何を言っているかというと、政府が通貨を発行すれば、通貨の発行に負債が伴わないというわけです。

政府が通貨を自由自在に発行すれば国の負債がなくなる。商業活動などで必要な費用もすべてまかなえるようになる。そうすると、アメリカはとてつもなく繁栄するだろうし、世界の富がすべてアメリカに集まることになる――だから「このような政府は打倒しなければならない」とまで『ロンドン・タイムズ』は書いているんです。

結局リンカーンは1865年に暗殺されましたが、その最大の理由は彼が政府通貨を発行したこと、ひいてはイギリス（を裏で操るシティの金融資本家たち）が目指した「アメリカの南北の分裂」を失敗させたことにあると思われます。

通貨発行権という〝特権〟に手を出すと命が危ない!?

馬渕：それを踏まえた上で、4つ目のポイントのアンドリュー・ジャクソンです。

ジャクソンは、実は命を懸けてアメリカの中央銀行を廃止した大統領でした。当時アメリカで中央銀行の役割を果たしていた第二合衆国銀行は20年ごとに営業認可を更新していたのですが、ジャクソンはそれを認めなかったわけです。それをメディアは一言も言わないですし、歴史家もそこには注目していません。アンドリュー・ジャクソンが非常にポピュリスト的な大統領だったとかいうことは言ってもね。彼の最大の功績は中央銀行を廃止したことにあったと私は思うんですが、この功績はあまり注目されていません。

そんなジャクソン大統領の肖像画をトランプ大統領はホワイトハウスの執務室に掲げていました。非常に意味深いですよね。つまり、トランプ大統領の最終目的はFRB（Federal Reserve Board：連邦準備制度理事会）の廃止だったと私は睨《にら》んでいるんです。

アンドリュー・ジャクソン

岡部：なるほど。中央銀行の廃止ですか。

馬渕：一般的によく誤解されているのですが、通貨発行権を持つ各国の中央銀行、たとえば日本の日本銀行やアメリカのFRB、イギリスのイングランド銀行などは〝国有銀行〟ではなく〝私有銀行〟、つまり民間銀行です。

FRBを例に挙げるなら、FRBは1913年、第28代大統領のウッドロー・ウィルソン（１８５６～１９２４）の民主党政権下で創設されましたが、当時ＦＲＢの株主になったのがロスチャイルド系銀行、ロックフェラー系銀行をはじめとする英米国際金融資本家たちです（ロスチャイルドはイギリス最大の富豪でユダヤ系金融業者の一族。ロックフェラーは世界の石油産業を牛耳るアメリカの大財閥）。この時以来、今日にいたるまでアメリカの金融はイギリスのシティの国際金融資本家たちによって握られ続けています。このＦＲＢ創設こそ、アメリカにおけるディープ・ステートの原点です。

ＦＲＢが〝私有銀行〟だということは、アメリカ国民が日常生活のあらゆる場面で必要な通貨である〝ドル〟の発行に対して、アメリカ政府は何の権限も持っていないということです。つまり、ドルの運命はＦＲＢの民間人株主、すなわちディープ・ステートの意向に左右されるということになります。これがいかに重大なことであるかがおわかりいただけるでしょう。

ようするに、ＦＲＢというのは実際のところ、ディープ・ステートが何の痛みも感じずにドルを発行するための機関であり、彼らはそれでボロ儲けしています。紙幣ならコストは紙代・印刷代くらいですから、たとえば１００ドル紙幣だと、１枚あたりおそらく99ドル50セントぐらい儲けているわけです。もっともこの印刷コストは連邦政府が負担しています。というのも、ＦＲＢの許可を得て、財務省が印刷しているのです。

一方、アメリカ政府は国債の見返りにドルを発行してもらっているわけですから、借金だけに絡んでいる。だから、こういうおかしな仕組みを改めなければいけない、つまりはＦＲＢを廃止しなければいけない、というのがトランプ大統領の〝究極の目標〟だったと私は思っています。

岡部：〝究極の目標〟がＦＲＢの廃止ですか。

馬渕：彼は経済人だから、これがいかにおかしな仕組みであるかがよくわかっていたはずです。通貨発行権をアメリカのピープルに取り戻すということは、ようするに通貨発行権を議会に取り戻すということですね。それを究極の目標にしているからこそ、トランプ大統領がジャクソン大統領を尊敬しているのだと思います。

そう考えれば、なぜディープ・ステートが今回の大統領選挙でなりふり構わず、それこそクーデターを起こしてまでトランプ大統領を引きずり下ろさなければならなかったかということがよくわかります。そうしないと、彼らはＦＲＢという大切な金ヅルを失うことになるわけです。通貨発行権はディープ・ステートにとって絶対に手放せない特権なのです。だからこそ、彼らはなりふり構わず不正をやった。それをやってでも、絶対にトランプを引きずり下ろさなければならなかった。本当にトランプ大統領にとっては命を懸けた戦いだったと私は見ています。

事実、過去にアメリカ大統領で通貨発行権というディープ・ステートの特権に挑戦した大統領はすべて暗殺もしくは暗殺未遂を経験しています。

何を隠そう、アンドリュー・ジャクソンも暗殺されかけた大統領のひとりです。

他には、第40代大統領のドナルド・レーガンも暗殺されかけています。

実際に暗殺されたのは、先に名前の出たリンカーンとケネディ、そして第20代大統領のジェームズ・ガーフィールド（１８３１〜１８８１）です。

1835年に起こったアンドリュー・ジャクソン暗殺未遂事件を描いた図

ケネディは１９６３年６月４日にＦＲＢの持つ通貨発行権を合衆国政府に取り戻す目的の大統領行政命令１１１１０号に署名しました。

ガーフィールドは「我々の国では、おカネをコントロールする者が産業や商業の頭となっている」と語り、１８８１年３月の大統領就任からわずか４カ月後にワシントンで銃弾に倒れています。

この時、アメリカは中央銀行が不在でしたが、金融資本家たちが、金融パニックを演出するなど、中央銀行設立へ向け、様々な工作を行っていました。

そうした過去の歴史を踏まえると、トランプ大統領の今後の行動が気になるところです。

民主党に巣食う「ネオコン」の正体

馬渕：以上が私なりに今回の大統領選挙を振り返って、世界史との関連で気づいた4つの重要なポイントです。民主党との関連でいうなら、結局、民主党は歴史的にディープ・ステートの政治面・政党面における〝代理人〟のような役割を果たしてきたということですね。

――民主党はなぜこれほどまでに〝左〟に傾いてしまったのでしょうか？

馬渕：民主党のことを語るのであれば、やはりそこに巣食っている「ネオコン」を避けて通れないんですけど、ちょっと長くなりますがいいですか？

岡部：ええ、どうぞ。「ネオコン」については、日本では、有名ですが、本当のところはあまり知られていません。

馬渕：読者の方々のために一応、ネオコンとは何かというところから説明しておきますと、「ネオコン＝ネオコンサバティズム」とは、1960年代からアメリカで勢力を持ち始めた政治思想で、日本では「新保守主義」と訳されます。言葉の響きから、保守主義の一種、むしろ右翼的な保守主義かと思われがちですが、実際はまったく逆です。これはいくら強調しても強調し足りないくらい重要なことです。

「ネオコンサバティズム」なんて名前が付けられているからその実体がわかりにくいのですが、ようするに彼らはもともと「トロッキスト」なんです。ここでもまたロシア革命との関連が出てくるんですね。アメリカの民主党というのはロシア革命と切っても切れない縁がある。

ネオコンの歴史的な背景から見ていきましょう。

ネオコンのルーツは1917年にレーニンとともにロシア革命を推進したレフ・トロツキー（1879～1940）の思想にあります。その思想とは「社会主義を広げて世界から国境をなくし、ワン・ワールドにすること」、つまり「世界統一政府の樹立」です。

レフ・トロツキー

岡部：トロツキーは国という単位での革命ではなく世界規模での革命を目指す「世界革命論」を唱えていたと一般的に言われていますよね。

馬渕：はい。「世界革命」を目指したトロツキーは、一国社会主義を唱えるスターリンと対立して追放され、1940年に亡命先のメキシコで暗殺されました。彼の思想を受け継いだ人々が「トロツキスト」と呼ばれる人たちです。

第二次世界大戦後、トロツキストたちはアメリカの民主党に潜り込み、自分たちの看板を「社会主義」から「自由と民主主義」に付け替えます。そして、自らを「進歩主義者」と称して「リベラリズム」の概念を発信し始めるようになりました。

そんな彼らが拠点にしていたのがニューヨークです。戦後、「ワン・ワールドこそ正義だ」とするグローバリズム拡散の中核になっていたのがニューヨーク市立大学シティカレッジでした。

岡部：「プロレタリアのハーバード」と呼ばれたことでも有名な大学ですね。

馬渕：そうです。ハーバード大学をはじめとするいわゆるアイビー・リーグ（アメリカ北東部にある全米トップクラスの8つの私立大学の総称）がユダヤ系や有色人種にとって排他的だったのに対し、ニューヨーク市立大学は広く門戸を開いていました。

なので、ブルックリンのユダヤ系の若者たちの多くがニューヨーク市立大学に入り、卒業後にはコロンビア大学で学んで社会学者や政治学者、法律学者、文芸評論家、マスコミ人となり、アメリカの社会・文化の中核を占めるようになっていきました。これがいわゆる「ニューヨーク知識人」という人々ですね。リベラリストが知識人の代名詞だったわけです。

こうして「進歩主義者」から「ニューヨーク知識人」に看板を張り替えた人々はアメリカ社会の隅々に浸透していきますが、その中から主に民主党左派のタカ派が1960年頃から「ネオコン」と呼ばれるようになっていきます。

ネオコンはその後、ケネディ大統領の対ソ連政策に反発して一時共和党に鞍替えしますが、最近はまた民主党に戻ってきたというわけです。

社会主義者、リベラリスト、ネオコン……その共通項とは？

――ロシア革命を通じて世界統一政府を作ろうとして失敗したグローバリストたちが第二次世界大戦後にアメリカに流れて民主党に潜り込み、表向きの看板を変えながら社会に影響力を持つようになっていったということですね。

馬渕：そういうことです。ネオコンの元祖のひとりとされる政治学者ノーマン・ポドレッツ（1930〜）は「ネオコンはもともと左翼でリベラルな人々が保守に鞍替えしたから〝ネオ〟なのだ」と言っていますが、この説明は正しくありません。保守に鞍替えしたのではなく、「新保守」を自称しているだけです。新保守を名乗ることで正体を隠しているのです。

具体例を挙げましょう。

第28代大統領のウッドロウ・ウィルソン（1856〜1924、任期：1913〜1921）、つまり民主党の大統領ですが、そのウィルソンのもとに広報委員会（CPI：Committee on Public Information）と呼ばれる政府の広報機関がありました。ようするに当時ドイツと戦争をするためにアメリカの世論を洗脳しようとしたプロパカンダ機関ですね。

そこの有力メンバーのひとりにウォルター・リップマン（1889〜1974）という男がいます。高名なジャーナリストで、「ステレオタイプ」という用語を生み出したことでも知られている人物です。

ウッドロウ・ウィルソン

岡部：「冷戦」の概念を最初に導入したひとりで、新聞のコラムや著作、1922年に出版された『世論』を通してメディアと民主主義を批評したことでも知られていますね。

馬渕：その彼の経歴を調べてみると面白いことがわかります。ウィルソンの側近だった1910年代後半は社会主義者（共産主義者）でしたが、後にリベラリストになり、晩年にネオ

ウォルター・リップマン

コンになったと言われています。そう聞くとあたかもリップマンが「左翼から右翼に遍歴した人」のように思えますが、そんなことはありません。彼は生涯グローバリストでした。グローバリストとしての現れ方が、時には社会主義者であり、時にはリベラリストであり、時にはネオコンだったということです。

社会主義者も、リベラリストも、ネオコンも、その共通項は自分たちの考え方や思想を〝国家の上〟に置く国際主義者、すなわちグローバリストです。乱暴な言い方をすれば、「国なんてどうでもいい」と考えている人たちです。

つまり、ネオコンの本質はグローバリストであり、かつてロシア革命を起こした社会主義者（共産主義者）と同じ思想を信奉しているというわけです。

なぜアメリカはロシア革命を支援したのか？

――ネオコンとディープ・ステートはどういう関係なのでしょうか？

馬渕：ネオコンは国際金融資本家の世界統一戦略の実行部隊といったところでしょうか。だから、ネオコンもまたディープ・ステートの重要な構成員なのです。結局、世界を統一しようというのがディープ・ステートの最終目標であり、それをまさにネオコンを使って世界各地で紛争を起こし実現しようとしていますから。

この点を理解していただくには、ネオコンのルーツとなった人たちが関わっていたロシア革命がいったい何だったのかという話をしなければなりません。

ロシア革命を主導したのは、ご存じの通り先ほどから名前の出ているレーニンやトロツキーです。しかし、革命には莫大な費用がかかります。彼らを資金的に支援したのが、欧米の国際金融資本家たちでした。

ヤコブ・シフ
（ジェイコブ・ヘンリー・シフ）

ヨーロッパはもちろん、アメリカの金融資本家もまた、盛んにロシア革命に投資しています。日露戦争のときに日本の国債を買ってくれたアメリカの銀行家ヤコブ・シフ（1847～1920）も、ロシア革命に資金を供給した金融資本家のひとりです。

岡部：日露戦争の時には、シフが高橋是清《これきよ》から日本の国債を購入したことが有名ですが、ロスチャイルド家も日本とロシアの国債を両方買って、両張りしていました。イギリスのデイヴィッド・キャメロン元首相の大祖父も香港上海銀行のロンドン支店長でしたが、シフよりも先に日本の国債を買っていました。歴史的に見ても、国際金融資本家たちが背後から常に国際政治を動かしてきたというのは、馬渕大使のおっしゃる通りだと思います。

馬渕：そうですね。当時そうした欧米の国際金融勢力はロシア革命を直接援助していました。そして、彼らの影響下にあったウィルソン大統領もロシア革命を支持したのです。ウィルソンはレーニンに、1億ドルの援助さえ行っていました。

岡部：アメリカが共産主義を応援するというのは、今日の一般的な感覚ではちょっと信じられないですね。

馬渕：まさにそこが重要なポイントです。自由資本主義のアメリカが、なぜ共産主義革命を応援したのか。資本家を否定し、国民の自由を抑圧する共産主義化をなぜ後押ししたのか。

「ロシア革命の情報が十分ではなく、専制体制を倒した民主主義革命だと誤解したからだ」と言う人もいますが、それはつじつま合わせにすぎません。偶然の間違いといった生やさしいものではなく、「世界革命の第一歩としてロシア革命を利用しようと考えていた人々が当時アメリカ国内にいた」ということなのです。

当時ウィルソンの周りを固めていたのは、国際金融資本家の勢力に与《くみ》する人たちでした。先ほど名前が出たリップマンもそのひとりです。

他には、ウィルソンの側近中の側近、エドワード・マンデル・ハウス（1858〜1938）。「ハウス大佐」の通称で知られる人物で、国際金融界の大物・ロスチャイルド家とは父親の代から関係を持っていました。当時ロシアに関する情報は、すべてこのハウス大佐を経由してウィルソン大統領に伝えられています。

そして、経済界からは投資家のバーナード・バルーク（1870〜1965）。ウォール街の実力者で、ウィルソン以降も歴代大統領以上に影響力を持ち続けたという、いわゆるキングメーカーのひとりです。

では、なぜそうした国際金融資本家サイドの人たちが、わざわざ大金を出してまで経済的な自由がない共産主義革命を応援したのか？　これまで我々が学校の教科書で学んできた知識ではそれがまったく理解できません。

今日のグローバル企業を見てもわかるように、大資本家のビジネスは国境を越えて展開します。いわば〝世界全体〟が商売相手であり、「儲かるならアメリカという国がどうなろうと知ったことではない」という発想が根底にあるわけです。

彼らはたまたまアメリカなりイギリスなりに住んでいるだけで、別にその国の国益を考えて行動しているわけではありません。「アメリカ人」や「イギリス人」という意識すらないと言ってもいいでしょう。

共産主義者や社会主義者もそれは同じです。共産主義と社会主義は学問的な定義こそ異なりますが、本質的な意味ではどちらも「国なんてどうでもいい」と考える国際主義、つまりはグローバリズムです。グローバリストである国際金融資本家がロシア革命を支援したのも、こうした前提を踏まえれば当然のことで、革命の思想そのものが「グローバリズム（共産主義）」だったからです。

ロシア革命の実態はユダヤ革命だった!?

馬渕：ロシア革命を理解する上で「グローバリズム」とともに避けて通れないのが「ユダヤ」との関わりです。

ロシア革命を金銭面で支援した国際金融資本家というのはユダヤ系の人たちなのですが、現地のロシアで実際に革命を推進していたのも同じユダヤ系の人たちでした。トロツキーはユダヤ系ですし、レーニンも母がユダヤ人の血を引いています。

岡部：彼らに投資したシフもユダヤ人ですね。

馬渕：そうです。加えて、革命前にニューヨークに亡命していたトロツキーはアメリカ在住のユダヤ人を多く引き連れ、アメリカ政府のパスポートを使ってロシアに入国して革命に従事しています。

「ロシア革命」と呼ばれていますが、その実態はまさに「ユダヤ革命」です。

教科書で説明されているような、皇帝の圧政に苦しむロシア国民が蜂起して帝政を転覆させたというだけの単純な話ではありません。国外に亡命していたユダヤ人がイギリスのシティやアメリカのニューヨークのユダヤ系国際金融資本家たちの支援を受けて、ロシアの少数民族であるユダヤ人を解放するために起こした革命なんです。

その事実は当時のイギリスやヨーロッパ諸国ではほぼ常識で、たとえばフランス出身のイギリスの歴史学者ヒレア・ベロック（1870〜1953）は1922年発刊の著書『The Jews』（邦題『ユダヤ人　なぜ、摩擦が生まれるのか』渡部昇一・監修、中山理・翻訳　祥伝社）の中ですでにロシア革命がユダヤ革命だと指摘しています。

ロシア革命では、レーニン率いるボルシェビキが当時の帝政ロシア、すなわちロマノフ王朝を武力で倒したケレンスキー臨時政府から暴力で、政権の座を奪取したわけですが、新しく誕生した革命政権の指導部の8割はユダヤ系で占められていました。そして、革命政権はそれまでのロマノフ王朝が保有していた莫大な財産の多くを自分たちのスポンサー、つまりユダヤ系の国際金融資本家たちに〝利益還元〟します。ロシア革命への〝投資〟は成功したというわけですね。

当時トロツキーらが手に入れたのはロマノフ王朝の財産だけではありません。トロツキーが革命後にまず行ったのは、共産主義の私有財産禁止の思想をもとにして、ロシアの民衆が保有していた金、つまりゴールドを没収するということでした。これらは革命家たちの借金返済に充てられました。

このロシア革命のあらましを聞けば、「自分たちの利益のためなら国なんてどうでもいい」というグローバリズムの考え方、グローバリストたちのビジネスの全体像が感覚としても理解できるのではないでしょうか。

今日の国際社会の基本的な構造はこのロシア革命から始まっているわけです。

バイデン政権を語ることは無意味

馬渕：東西冷戦の時代、アメリカはソ連で人権侵害を受けていた自由主義者たちの亡命を支援したとされていますが、実はそれも表向きの説明にすぎません。当時アメリカに亡命してきた自由主義者というのは、ロシア革命の革命家たちの末裔《まつえい》、つまりユダヤ系の人たちでした。

ようするに、スターリン以降、徐々にソ連の権力がユダヤ系からロシア人の手に移ってきたため、ユダヤ系の革命家の末裔たちが弾圧されるようになってソ連から逃げ出すようになったというわけです。

こうした話をメディアは絶対にしません。だから我々は単純に「ソ連の共産主義体制の中で自由を求める人々がいる」と洗脳されてきたのです。その革命家の末裔たちが結局、アメリカでネオコンになって、民主党に巣食っているという事実も知らずにね。

民主党の話に戻すと、「民主党はどういう政党か？」と問われれば「ネオコンが最初に巣食った政党」だということです。もちろん、それがすべてだと言うつもりはありませんが。

先ほども申し上げた通り、ネオコンたちは一時共和党に流れましたが、今また民主党に戻ってきています。だから今は民主党が、特に民主党の左派がアメリカを乗っ取ろうとしているわけです。

今回の大統領選挙との絡みでいえば、まさに副大統領となったカマラ・ハリスが民主党の左派を象徴する存在ですね。まあ彼女もディープ・ステートに使われているだけなんですが。バイデンにいたっては、完全に神輿《みこし》に担がれただけの存在です。

岡部：おっしゃる通り、民主党はカマラ・ハリスをはじめ、極左勢力に侵食されていると言われています。

馬渕：日本だと、新聞でも、テレビでも、ネットでも、保守系の人も含めてみんなそうだけど、「バイデンが大統領になったらアメリカの政策がどう変わるか」なんて議論していますが、そんなものはまったく意味がありません。バイデンはもうすぐ首切られる運命にあるわけですからね。今回の選挙の〝飾り〟にすぎなかったので、バイデンが大統領になっても、容赦なくハリスに変えられる。理由はいくらでも出てくるでしょう。私は、バイデンさんは病気か何かです ぐ辞めると思います。すでにそういう状況にある。

岡部：それが民主党の思い描いている戦略ですね。ハリスは、日本でいうと、辻元清美議員（立憲民主党）のような存在と言われています。カリフォルニア州オークランドで、父親はジャマイカ出身、母親はインド出身の移民の子として生まれました。

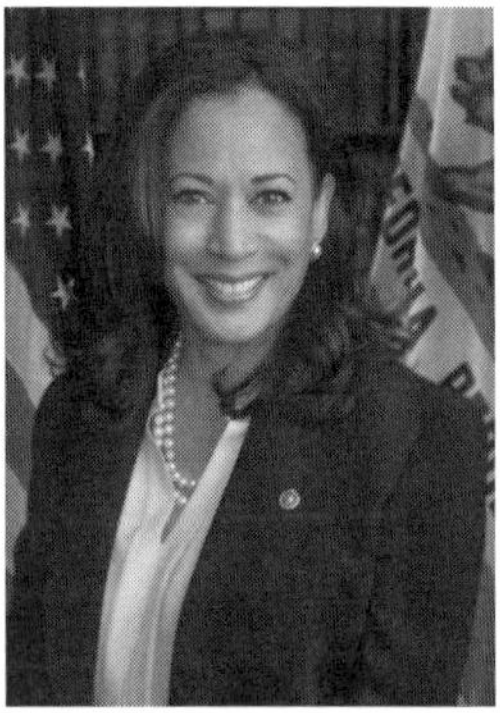
カマラ・ハリス

しかし、父親はスタンフォード大学の経済学者、母親は高名な乳がん研究者で、有色人種ながらエリートの家柄です。

黒人のハーバードと言われるハワード大学を卒業後、カリフォルニア大の法科大学院を卒業し、法科博士号を取得、地方検事から、カリフォルニア州検事総長まで務めた後、カリフォルニア選出の上院議員に当選したのが２０１６年です。

検事出身なので、非常に弁が立ち、野心家、自己主張が強く、国民皆保険制度、大麻の合法化、不法移民への永住権授与まで支持しています。政治主義は極左に近く、中国共産党やロシアに関与しているという噂もあります。

馬渕：そうなると、極左勢力が米国政府を牛耳ることになり、社会主義化路線に一直線に突っ走るでしょう。

ようするに、民主党は今や完全にネオコンに乗っ取られている、ひいてはディープ・ステートに乗っ取られているということですね。そういう人たちがいわば民主党左派という形で今、民主党の実権を握っています。だから、民主党の中でも良心的な一部の人は、不正選挙騒動でトランプを支持していたわけです。今回の不正選挙はやっぱりアメリカのデモクラシーに対する挑戦だということですよ。

アメリカを立て直すには最低5年は必要⁉

岡部：アメリカの状況に関しては、僕も馬渕大使と同じように、分断が続いて、内乱状態がいっそう激しくなると予想しています。

それには2つ理由があって、ひとつはやっぱり7500万票という、バイデンにほぼ拮抗《きっこう》する票をトランプに与えた支持者たちが、バイデンの大統領としての正統性を認めないだろうと思われる点です。

これはイギリスのEU離脱の国民投票の時と非常によく似ています。あの時もイギリス全体が離脱派と残留派に分かれて分断状態になり、国民投票の結果も52対48でほぼ拮抗する状況で、「時間が経てば収斂《しゅうれん》するんじゃないか」と言われたんですけども、2020年12月31日に完全離脱しても、いまだに拮抗したままです。

たとえばボリス・ジョンソン（現イギリス首相）の家族でも、彼自身は離脱派ですが、弟と姉と父親は残留派です。このように家族間でも分裂したままだというのがイギリスの現状です。

おそらくアメリカでも、同じように分裂がいっそう激しくなると思います。

2つ目の理由ですが、僕は、民主党というのはいわゆるアイデンティティ・ポリティクス（社会的に抑圧されているアイデンティティ集団の利益を代弁する政治）であって、黒人や少数民族、ＬＧＢＴなどの様々なアイデンティティの人が集まって、これまでは反トランプで大同団結していたと理解しています。しかし、結局のところは様々なアイデンティティの寄せ集めですから、トランプが去り、バイデンが大統領に就任して、求心力が低下し、それぞれのグループに分裂していくと思わざるをえません。

それから馬渕大使がおっしゃった民主党左派が、今はバイデンを支持していますけども、いずれ大きな政府を打ち立ててきて、場合によっては不法移民にまで補助金や支援を与えるという、考えただけでも恐ろしいようなことがアメリカの市民生活の中で起きてくるんじゃないかと危惧《きぐ》しています。

そうなると、アメリカは内乱よりもむしろ「内患」、つまり「内憂外患」じゃなくて「内患」状態が続いていき、とても「超大国」の世界の指導者、警察官として国際社会に返り咲くことはできないと思いますね。最低でも5年、10年はかかるんじゃないでしょうか。

なぜアメリカでポリコレが流行したのか？

岡部：また、最近の民主党との関連で思うのは、「アラブの春（チュニジアでの蜂起をきっかけに2011年から中東・北アフリカ諸国に広がった一連の民主化運動）」から10年が経ちましたが、「〝アラブの春〟は、いったい何だったんだろう？」ということです。

カダフィ（リビアの最高指導者）をはじめとする独裁者を中東から追放しましたが、代わりにＩＳ（イスラム国）がはびこり、民主主義とは名ばかりの混沌とした状態、テロとＩＳの巣《そう》窟《くつ》になってしまいました。アラブの春を支持して推進した民主党のヒラリー・クリントンやバラク・オバマの政策は、まやかしだったのではないかという気がしますね。

私はアメリカでは、大混乱がバイデン政権下でまだまだ続くと思います。「バイデンが大統領になると協調してひとつになる」との期待感も伝えられますが、むしろトランプ政権時代以上に分断・分裂していくんじゃないかなと懸念しています。

馬渕：非常にいいご指摘をいただいたと思います。岡部さんが今おっしゃったことについては、まったく私も同感です。

アメリカのアイデンティティ・ポリティクス、まあ「ポリコレ」（ポリティカル・コレクトネスの略。差別や偏見を防止するために社会的・政治的に公正・公平な言葉を使うことを目指す考え方。実際は少数派の優遇や言論封殺に利用されている）と言ってもいいんですが、ようするに〝差別強調政治〟ですね。そもそもどうしてそんなものが出てきたのかという話をさせてください。

これもルーツを辿ればマルクス主義の一種で、ドイツのフランクフルト大学にいた学者、もっとはっきりいえばユダヤ系の学者が考え出した理論なんです。いわゆる「批判理論」という学説ですね。「とにかく何でもいいから権威を批判しろ。批判して権威を引きずり下ろせ」という考え方です。

ヘルベルト・マルクーゼ　©akg-images/ アフロ

それを唱えていたフランクフルト学派の学者たちがアドルフ・ヒトラーの時代に、アメリカに亡命しました。その中の有名なひとりがいわゆる「新左翼」の代名詞として知られるユダヤ系の哲学者ヘルベルト・マルクーゼ（１８９８〜１９７９）です。

マルクーゼはアメリカの社会でこの批判理論の実験をしました。主にアメリカの若者をそそのかして、ありとあらゆる権威に挑戦させたわけです。その結果、アメリカ国内がどんどんと分裂気味になっていきました。その時に利用されたのがアイデンティティ・ポリティクスです。

彼らはとにかく「黒人、少数民族、LGBT、女性は差別されているんだ！」と言い続けます。この場合、実際に差別されていたかどうかは問題じゃなくて、「差別されている」と決めつけていくわけです。そして、「あなたは差別されている。だから今の社会はおかしい。今の秩序を破壊しなきゃならない」と、ここまで言うわけですね。でも、破壊した後どうするかは言わない。そんなビジョンは別に彼らも持っていないから。とにかく「現状を破壊すれば社会は良くなる」と人々を洗脳するわけですね。

アメリカ社会の分裂はいつから始まった？

馬渕：この批判理論は1960年代にアメリカを席巻《せっけん》しました。おそらく、アメリカが世界でいちばん早かったと思います。その原因のひとつがベトナム戦争（1960〜1975年に行われた南北ベトナム統一をめぐる戦争。アメリカが軍事介入し、世界中に反戦デモが広がった）だったわけですね。
彼らはベトナム戦争のことを、「大義なき戦争だ」とか、「人殺し戦争だ」とか言って騒いで、アメリカの世論を混乱させました。その結果、「ヒッピー」とか「イッピー」と呼ばれる反体制的な若者が出てきて、もうアメリカという国家を信用しないというレベルにまでなってしまった。ようは、これが批判理論の狙いだったわけですね。

だからベトナム戦争が盛んになると同時に、アメリカでは黒人解放運動で有名なキング牧師（マーティン・ルーサー・キング・ジュニア、１９２９〜１９６８）が「We Shall Overcome（勝利をわれらに）」なんて言いながら大行進をやった、いわゆる公民権運動が起こるわけです。これは実は連動しています。そして１９６４年には初めて公民権法（アメリカ国内の人種差別を禁じる法律）ができた。この時点でアメリカは一応、法律的には黒人差別が終わることになりました。

マーティン・ルーサー・キング・ジュニア

黒人に関しては実際に差別されていたわけですが、先ほども申し上げた通り、批判理論の実践者たちにとっては、〝本当に差別があるかどうか〟は大した問題ではありません。とにかくこういう形で「マイノリティは差別されている」とスポットをあて、そこに政治のアジェンダ（取り組むべき課題）を持っていく、というのがフランクフルト学派の発想です。それによってアメリカは嫌でも分裂していくわけです。すなわち、今までのアメリカ、建国の精神を信じていた人たちと、そうでない人たち（アメリカという国家に疑問を呈する、とにかく批判する、若者たちを中心とした人たち）とにどんどん分裂していくことになります。ちなみに、いわゆるウーマン・リブ運動（女性のために男性と対等・平等な地位を求めるフェミニズム運動）がアメリカで流行《はや》ったのもこの頃ですね。

岡部：日本でも流行りましたね。

馬渕：これもようするにアイデンティティ・ポリティクスというか、アメリカ社会がフランクフルト学派の批判理論の実験場になっていたということですね。

そういう意味では、岡部さんがおっしゃったアメリカの分裂というのは、実はこの頃からすでに始まっています。

決定的だったのが、２０１６年の大統領選挙ですね。繰り返しになりますが、この大統領選挙の時に、民主党はトランプの勝利を認めなかった。それまでアメリカは、どのような選挙結果になろうともお互いが認め合い、次の大統領が就任すれば、少なくとも１００日間の猶予期間を与えて、政策について批判することはあっても、大統領そのものを否定することはしなかったわけです。メディアも含めてね。

ところがこのトランプ大統領が当選して以来、そのアメリカ本来の伝統がひっくり返ってしまった。それで、以後4年間、民主党はトランプ大統領を認めないまま今日まできています。民主党だけじゃない。アメリカのメディアも、もちろんディープ・ステートもそうです。トランプ大統領を絶対に認めない。

岡部：もはやリベラル・メディアは特定の政党や機関の宣伝機関に堕しています。まるでスターリンのプロパガンダのようです。特にこの4年間、トランプ大統領に関しては、完全にヒステリー状態で、攻撃を繰り返すばかりで我を失っていましたね。

同じメディアに生きる人間として、米国メディアはここまで偏向したのかと暗澹《あんたん》たる気持ちにならざるを得ません。

正確な情報は、自らの力で得るしかない。米国メディアを通じてよりも、一次情報をネット上で直接、習得するべきですね。

馬渕：おっしゃる通りです。だから結局のところ、アメリカの分裂を決定的にしたのは民主党なんです。世間一般で言われているところのトランプ大統領じゃありません。むしろトランプ大統領は、今までアイデンティティ・ポリティクスによって分裂させられてきたアメリカを何とかまとめようとしていたわけです。

それを逆手《さかて》にとって、「トランプこそアメリカを分裂させている」という方向に持っていったわけですね。これは左翼のお決まりのやり方なんです。自分たちがやっていることを相手がやっていることにするという。

たとえば移民の問題ひとつとっても、トランプさんは決して移民に反対しているわけではありません。〝不法移民〟に反対しているわけです。ところがメディアは「不法移民」とは言わない。「トランプは移民に反対している人種差別主義者だ！」と言って人々を洗脳していきました。しかもその洗脳の対象者はアメリカ国民だけでなく、世界中の人々です。

だから、トランプさんがなぜか「人種差別主義者」だということになっちゃうわけですね。そういうことを、メディアを通じてやってきたのがディープ・ステートなんです。だから、メディア（特にメイン・ストリーム・メディア）はディープ・ステートの尖兵《せんぺい》と言っていい。

イギリスのメディアは今なお新聞がいちばん影響力がある⁉

――イギリスのメディア事情はどうなっていますか？　アメリカと似たような状況でしょうか？

岡部：イギリスの場合は公共放送のBBC（British Broadcasting Corporation：英国放送協会）が圧倒的に強いですね。あとはITV（Independent Television：独立テレビジョン。イギリス最古・最大の民間放送局）と公共放送のチャンネル4、ニュース専門局のSkyニュースなどがありますが、日本でいうところの民間放送がたくさんあるわけではありません。

その代わり、新聞がすごく多いです。インテリ・上流階級向けの真面目な内容の高級紙と、中流・労働者階級向けのゴシップや娯楽要素の多い大衆紙があります。日本よりも、市民生活で〝紙の新聞〟がよく読まれています。

いわゆるタブロイド紙は一般的に大衆紙に分類されますが、その半分は『ザ・サン』のように女性のヌードを掲載するようなものもあります。『デイリー・エクスプレス』はフレデリック・フォーサイス（スパイ小説などで有名な世界的ベストセラー作家。代表作は『ジャッカルの日』『オデッサ・ファイル』など）がコラムを連載していて、一定の影響力があります。フォーサイスは、ブレグジット（英国のEU離脱）では、熱烈な離脱派として知られ、同紙で離脱のキャンペーンを張っていました。

高級紙では1785年創刊、保守党穏健派で中流階級の読者が多い世界最古の日刊新聞『ロンドン・タイムズ』、1855年創刊、中道右派、保守党支持で、かつてジョンソン首相が所属するなど伝統的に保守的論調の『デイリー・テレグラフ』、１８２１年創刊で中道左派、リベラル志向の労働者、中流階級が読者層の『ガーディアン』、完全オンライン版に移行したリベラル、中道派の『インデペンデント』、１８８８年創刊でビジネス・経済を集中的にレポートする経済新聞『フィナンシャル・タイムズ』などが知られています。

政府の政策の多くが新聞を通じてスクープの形で発表され、国民に浸透することが多く、主要国の中でも新聞の影響力は、いちばん保持している印象を受けました。

また政治家がよく自分の意見や政策を新聞に投稿します。ジョンソン首相は古巣の『デイリー・テレグラフ』紙によく自分の考えや政策を掲載します。これはけっこう、影響力が大きいです。演説するより浸透する。特に新聞各紙にデジタル版があるため、紙とオンラインで同時に発信する形で、一気に広まります。

あと、アメリカのように特定のバイアス（偏向）のかかったメディアは、イギリスではあまりないように思えました。ＢＢＣは公共放送ですが、政権にべったりの上意下達の官報メディアではありません。もちろん政権に近い部分もあります。ポリティカル・エディター（政治担当編集長）を務めるローラ・クエンスバーグというベテラン女性記者は、メイ前首相に食い込んで政局の節目に特ダネを連発していました。ボリス・ジョンソン首相とは馬が合わないようで、批判する辛口コメントも多々あります。それでも核心となる政策のインタビューは必ず取って最初に流します。

政府方針を発信する一方、政権を批判したり、スキャンダルをすっぱ抜いたりする監視機能も働いています。反トランプで固まっているアメリカの主要メディアとは少し違う。そういう意味ではメディアに対する政治家の信頼も、アメリカよりはあると思います。

――それぞれのメディアの独自性みたいなものはありますか?

岡部：独自性を持っています。たとえば、保守的な主張が多い『デイリー・テレグラフ』は、言うなればイギリスの産経新聞です。また、リベラルな論調が目立つ『ガーディアン』はイギリスの朝日新聞といったように、党派性というか、趣向が分かれます。

それぞれの新聞が独自性を持つことで、党派性が強くなり「報道の政治的中立性」に欠けるのでは、との批判もあります。メディアが機関紙化すれば、公共の利益に反するためです。

では、読者層が偏っているかというと、そうでもありません。一般的に、イギリスでは、自分の思想にあった新聞を選んで読んでいると思いますが、ロンドン市内の駅などでは『メトロ』(朝刊紙)、『イブニングスタンダード』(夕刊紙)など無料で配布される新聞、通称「フリーペーパー」も普及していて、通勤の合間などで、よく読まれています。自分の思想とは異なる記事も読めるので、新聞が特定の思想、階層の人たちにしか読まれないというわけではないですね。

世界のタブー!! 分断の根底にあるのはユダヤ思想

馬渕：メディアと関連する話でいうと、民主党のウッドロウ・ウィルソン政権の時代（１９１３〜１９２１）には、先ほど名前を挙げたウォルター・リップマンらの他にも重要な人物がいました。それがエドワード・バーネイズ（１８９１〜１９９５）という男です。彼は「アメリカの真の支配者は、実は大統領ではない」ということを最初に公言した人でした。

バーネイズが書いた『プロパガンダ』という本については、私も今までいろんな場で紹介してきました。この本は１９２８年、つまりウィルソン大統領が辞めてからかなり後になって発刊されたんですが、日本語訳が出たのは２０００年を過ぎてからです（初の邦訳は２００７年、成甲書房）。

このバーネイズはどういう人かというと、先ほど申し上げた政府の広報機関、ＣＰＩの委員会のひとりで、プロパガンダ工作に関わっていた専門家です。

ＣＰＩは当時、ドイツと戦争をするために「ヨーロッパの戦争に介入しない」がそもそもの国是だったアメリカ人のマインドを「ドイツ憎し」に持っていきました。つまり、バーネイズはCPIでそういうプロパガンダ工作をやっていたひとりです。

岡部：今では「広報・宣伝の父」とも呼ばれていますね。

馬渕：ええ。それから、バーネイズは、みなさんご存じの心理学者ジークムント・フロイトの甥です。オーストリアからアメリカに亡命してきました。もちろん、フロイトもユダヤ人だし、バーネイズもユダヤ人です。

ちなみに、マルクーゼも含めて、フランクフルト学派の批判理論を構築した人もみんなユダヤ人です。これは別に彼らがユダヤ人だから悪いとか良いとかの話じゃなくて、結果的に、事実としてそうだということを言っているわけですね。

何が言いたいのかというと、つまり根底にあるのは〝ユダヤ思想〟だということです。これが重要な点なのですが、それを公に言ってはいけないし、言えない。なぜなら、彼らが世界のメディアを握っているからです。日本のメディアも含めてね。

だから、たとえば批判理論のことは言ってもいいけど、それが〝ユダヤ思想の産物〟だということは言ってはいけないわけです、絶対に。

岡部：ユダヤ人問題をめぐって、日本のジャーナリズム界では、「文藝春秋社『マルコポーロ』

廃刊事件※」がありました。

馬渕：ユダヤの問題に限った話ではありませんが、議論そのものがまともにできないというのは、本当におかしな状況ですよね。

とにかく、批判理論というのはようするに、革命理論のひとつなんです。

ロシア革命は、少数派がクーデターで政権を奪取した暴力革命でした。一方、批判理論も少数派がアイデンティティ・ポリティクスを利用して世論を作り、政治を動かしていくためのものなのです。

つまり、少数派が多数派を抑えるという点においては同じなんです。ロシア革命も、それからアメリカを実験場にした批判理論による一種の社会革命・文化革命も根は同じだということですね。

※文藝春秋社『マルコポーロ』廃刊事件：１９９５年2月に文藝春秋の雑誌『マルコポーロ』が、ナチスによるユダヤ人大量虐殺「ホロコースト」の存在を否定する記事を掲載し、アメリカのユダヤ人団体サイモン・ウィーゼンタール・センターなどからの抗議（文藝春秋に広告を出稿する企業に向けた広告ボイコット運動も含む）を受けて自主廃刊に追い込まれた事件。同誌の廃刊とともに、花田紀凱《かずよし》編集長が解任され、田中健五社長も辞任したが、十分に記事の内容について議論がされないまま廃刊が決定したことや、日本の雑誌の過剰な広告依存体質などがこの騒動とともに問題視された。

そして、今回の大統領選挙を通じて、改めてその事実が我々の目に見える形で現れてきた。私はそれだけでもトランプさんの功績は大きいと思っています。

このように批判理論は、悪くいえば「社会を乱す理論」なんですが、それに染まっていないのがロシアです。

もっとも、ロシアもソ連時代には染まっていたことがあるんですが、それを打破したというか、そういうロシアであってはいけないと、ロシアにいわゆる伝統的なスラヴ愛国主義を取り戻したのがプーチン大統領なんです。

それゆえにプーチンは世界のメディアから、あるいは世界の知識人から、そしてディープ・ステートから〝悪者〟扱いされています。これは残念ながらアメリカのメディアだけじゃなくて、ヨーロッパのメディアも、日本のメディアもそうなんです。それが現在、我々が住んでいる世界の現状だといえます。

「アラブの春」を仕掛けた黒幕とは？

馬渕：先ほど「アラブの春」の話題が出ましたが、あれも裏で糸を引いていたのはもちろんネオコンです。これはもう事実として明らかになっています。ネオコンの意を受けて、ヒラリー・クリントンが実際にやった。その裏にいたのは、先ほども名前が出た、左派ユダヤ人勢力を代表する投資家ジョージ・ソロスです。彼らはあの時にアラブでやったことを、今、アメリカでやろうとしています。

「アラブの春」の結果、たとえばリビアのカダフィ政権が倒されて、過激派武装集団が台頭するようになりました。実際、今リビアは無法国家になっていますよね。彼らはアメリカをそんなリビアのようにしようとしているんですよ。

つまり、トランプ政権を倒して、アメリカを無法化するというわけです。

そうすると、アンティファ（ANTIFA）やブラック・ライヴズ・マター（BLM）といった極左の過激な武装集団が跋扈《ばっこ》する国になってしまう。現にアメリカのネットの映像を見ていると、彼らは完全に武装している〝私兵〟です。これはすごいことですよ。

ジョージ・ソロス

なぜ民主党左派の連中が警察予算の減少、そして究極的には警察の廃止を主張しているかというと、治安機関に治安維持をさせたくないからです。そうすると、ANTIFAやB

ＬＭなどの過激派武装集団が治安を握る……というのはちょっと変な言い方ですけど、ようは彼らが自由に行動できるということなんです。

だから、「アラブの春」と今回の大統領選挙は無関係ではありません。全部繋がっています。なぜアラブの春が起こったのかは、その前に起こった東欧の「カラー革命」（２００３年頃から旧ソ連・東欧などの旧共産圏諸国で親露派政権の交代を求めて起こった〝民主化〟運動）を見ればわかるんです。アラブの春の背後にいた人たちと、東欧カラー革命の背後にいた人たちは同じネオコンです。つまり、ジョージ・ソロスをはじめとする人たちがいたわけですね。

「ウクライナ危機」はなぜ起こった？

馬渕：それから、「アラブの春」の後に起こったのが、「ウクライナ危機」ですよね。これも同じ動きなので、一貫性があるんです。ウクライナ危機は単発的に起こったものじゃない。

アラブの春の当面の最終目標はシリアだったんですが、シリアではアサド政権ががんばって、しかもロシアが応援についたから結局、成功しなかった。はっきりいえば、アメリカのネオコンがアサド政権を倒せなかったわけです。

だからウクライナ危機というのは、まさにその最中に起こっているんです。

ウクライナ危機の発端は2013年末、経済が低迷していたウクライナ国内での反政府デモでした。EUとの経済連携協定締結をめぐり、親露派政権と親欧米派勢力の対立が激化して、親欧米派による暴力的なデモが続いたわけです。

翌2014年にビクトル・ヤヌコビッチ政権が崩壊し、ヤヌコビッチ大統領がロシアに逃亡すると、ウクライナ暫定政権の首相にはアルセニー・ヤツェニュクが就任しましたね。

それに対してロシア系住民が6割を占めるクリミア（ウクライナ領内の自治共和国）では、デモ隊が地方政府庁舎や議会、空港を占拠しクリミア議会は親露派のセルゲイ・アクショーノフを新首相に任命します。そして、3月には自治共和国議会と、ロシア海軍基地のある軍港都市セバストポリの市議会は、クリミア独立宣言を採択した上で、住民投票を実施し、ロシアへの編入を賛成多数で決めてクリミア共和国として独立を宣言しました。プーチン大統領はこのクリミアの意向を受け入れ、ロシア編入を発表したわけですね。

しかし、これに対してアメリカが猛反発します。「親露派政権自警団の監視下で行われた住民投票は民主的ではない。国際法違反だ」と非難して、ロシアに対する経済制裁に踏み切りました。でも、これはおかしいんですよ。

そもそも2013年末の反政府デモがクーデターと言っていいほど暴力的だったことにアメリカはちっとも触れていない。なぜかといえば、その反政府デモを主導していたのがアメリカだったからです。

――ウクライナ危機はアメリカの描いたシナリオだったということですか?

馬渕：はっきりいえば、そういうことです。決定的な証拠もあります。まだ反政府デモとヤヌコビッチ政権側の対応が一進一退を繰り返していた2014年1月28日に、アメリカのビクトリア・ヌーランド国務次官補とジェフリー・パイアット駐ウクライナ米大使が電話会談を行っているんですが、その会談の内容が動画サイトのYouTubeで暴露されたんです。

まだヤヌコビッチ政権が崩壊する前なのに、2人は「暫定政権の首相にヤツェニュクを充てよう」などと、新政権の人事を話し合っていました。そして、事実その通りになっています。アメリカが裏でシナリオを描いていた何よりの証拠です。

ビクトリア・ヌーランド

まあ、アメリカというより、正しくはアメリカのネオコン(ディープ・ステート)ですね。

国務次官補のヌーランドという女性はバリバリのネオコン

です。当時国務省の欧州・ユーラシア担当の国務次官補ですからナンバー３ぐらいの人ですね。彼女が反政府のデモ隊にクッキーを配りながら一緒にデモをしている映像が世界のメディアで流されていました。

ちなみに、彼女の旦那さんもロバート・ケーガンという歴史家で、ネオコンの有名な論客です。二人の人種については、いうまでもありませんね。

このように、ウクライナ危機がネオコンによって起されたことは世界で明らかになっています。映像も出ている。それでもまだ、アメリカのメディアも、ヨーロッパのメディアも、日本のメディアも報じないんです。

ロバート・ケーガン

岡部：ウクライナ危機の公開情報を分析すると、ネオコンによって引き起こされた可能性があると考えられます。馬渕大使がご指摘されたように、現地で陣頭指揮にあたったのがネオコンのヌーランド国務次官補で、夫のケーガンはネオコン理論家の大物ですからね。こうして２０１４年２月、米国の意のままにならなかったヴィクトル・ヤヌコヴッチ政権が瓦解《がかい》し、その後の大統領選挙で親欧米派と言われるペトロ・ポロシェンコが勝利しました。

――ウクライナの反政府デモは同国の民主主義者たちが始めたと一般的には言われていますが、そうではないということですね。

馬渕：まったく民主主義的な運動ではありません。ウクライナの憲法では「大統領を交代させるには議会における弾劾《だんがい》裁判が必要だ」と定めています。つまり、暫定政権は、大統領が海外に逃亡したとはいえ、違憲状態の中で成立した政権だったわけです。その点についてアメリカは一言も触れていません。

そもそもウクライナで激化した反政府デモを煽ったのは欧米のメディアでした。実はヤヌコビッチはむしろ親欧米派が求めるEUとの連合協定に署名するべく努力を続けていました。それなのに、むしろEUの方が、当時服役中だったヤヌコビッチの政敵であるユーリヤ・ティモシェンコ前首相の釈放を要求するなど、いろいろ条件を出して署名のハードルを高めていたんです。

欧米のメディアはそうした事実を一切報じることなく、「ヤヌコビッチが協定署名を拒否したことがデモの原因だった」と一方的な報道を続けました。その結果、ヤヌコビッチは大統領の座から引きずり降ろされたわけですが、欧米メディアにとってヤヌコビッチを徹底して追及するメリットが特にあるとは思えません。彼らの真のターゲットはプーチン大統領だったんです。

欧米メディアが流した「親露派ヤヌコビッチ＝悪」はアメリカのネオコンが周到に用意した

ものです。それは「プーチン＝悪」という構図に重なります。

ウクライナ暫定政権の狙いはロシア系住民をウクライナから駆逐することでした。そのため多くのロシア系住民が虐殺されています。それを踏まえると、クリミアのロシア併合はロシア人大虐殺の惨事を未然に防ぐ目的があったと考えられるわけです。

反政府デモを支援していたジョージ・ソロスの〝本音〟

馬渕：繰り返しますが、ウクライナ危機は民主化運動などというものではありません。その本質はプーチンを騒動に引きずり込んで失脚させようとした一種の〝革命〟であり、「ウクライナ政変」なんです。ロシアの〝愛国者〟であるプーチンを抹殺して、ロシアをグローバル市場に組み込むことがウクライナ危機の隠された目的でした。

グローバル市場化を狙う勢力、すなわちアメリカの衣を着た国際金融勢力（ディープ・ステート）がネオコンという実働部隊を使ってウクライナ危機を起こし、それを口実に再びロシアを勢力下に置こうと企んだわけです。その意味では、ウクライナ危機は「21世紀のロシア革命」

を狙ったものと言うこともできます。もっとも、こちらは共産主義革命ではなく「グローバル市場主義革命」ですがね。

ちなみに、ウクライナ危機を裏で操っていた（反政府デモを支援していた）国際金融資本家のひとりがあのジョージ・ソロスです。

2015年2月にプーチンは、ベラルーシの首都ミンスクで東部ウクライナでの政府軍と親ロシア派勢力との戦闘の終結を目指す停戦協定を、アンゲラ・メルケル独首相、フランソワ・オランド仏大統領とウクライナのペトロ・ポロシェンコ大統領とともに調印しました（ミンスクⅡ合意）。

すると、これにソロスが同年4月1日付の『ニューヨーク・タイムズ』に寄稿して噛みつきます。そこで彼は「この停戦合意はウクライナに不利だから、これでは何のためウクライナ危機を起こしたのかわからない」とまで言い切っているんですよ。ようするに、ここで停戦されると、〝プーチンの失脚〟という我々の目的が果たせないから困るんだよ、ということですね。だから、「EUはウクライナがロシアに対抗できるよう軍事援助しろ」とまで言っているんです。

もうこれぐらい見え見えのことをやってるんですけど、『ニューヨーク・タイムズ』にジョージ・ソロスがそんな寄稿をしたということすら、残念ながら日本じゃニュースにならないんですよね……。

岡部：ジョージ・ソロスは、ブレグジット（英国のＥＵ離脱）の節目で、よくメディアを通じて発信していました。ＥＵ崩壊防止のためイギリスを離脱させたくないように感じました。

ウクライナ危機に、米国のネオコンが何らか形で関与したのだろうということには同意します。「レジーム・チェンジ（体制交替）」を狙ったのでしょう。

ただ、ロシアとイギリスに赴任して双方から取材したところでは、ロシアの側にも理由があったように思えます。ロシアがロシア系住民保護を目的に２０１４年2月末に、戦闘部隊をクリミア半島に派遣して制圧、併合した背景には、ソ連崩壊後、ＥＵや北大西洋条約機構（ＮＡＴＯ）が、ソ連の影響下にあった中欧・東欧諸国を加盟させる「東方拡大」を続け、ロシアの勢力圏は小さくなる一方だった現実があります。

ロシア人は、シベリア出兵やナチスドイツによる侵略など「外国の介入」に強いアレルギーを抱きます。西欧諸国は「東スラヴの伝統の源」と称される歴史がある旧ソ連の主要国、ウクライナにまで「拡大」しようと協力関係を深めたことで、虎の尾を踏んだ可能性があります。ロシアがウクライナまで戦闘部隊を送り、併合するとは予想しておらず、ＥＵとＮＡＴＯは、ロシアの「奇襲」に虚を突かれました。

独仏ロとウクライナによる「ミンスク合意」の和平プロセスが進まず、いまだに親ロシア派を支援するロシアが最前線でウクライナ政府軍と衝突が続き、死者も絶えません。ウクライナ東部ではロシア軍の兵士が捕虜になり、ロシアがウクライナ内戦に関与したことは間違いないと思います。

ついに世界は「ハルマゲドン」へ‼

馬渕：確かに鋭いご指摘です。欧米がソ連との約束に反して、東西冷戦後NATOを東方に拡大したことにプーチンは強く反発していました。クリミア併合には欧米は虚をつかれましたが、クリミアはもともとロシア領でしたし、ソ連崩壊後も両国は帰属をめぐって争った因縁の地です。ロシア軍が友軍といった非正規部隊の形で、東ウクライナに関与していることは、その通りですが、ウクライナもかつてのドニプロペトロフスク州知事のコロモイスキーが、自らの私兵軍団のアゾフを使って、東ウクライナでロシア系住民の虐殺を行っていました。コロモイスキーはウクライナ有数の大富豪でイスラエルとキプロスの三重国籍者です。傭兵部隊の戦争という側面も無視できません。

いずれにせよ、プーチンにとっては、東ウクライナの安定が最も望ましく、併合までは考えていないと思われます。

それからもうひとつ、先ほど岡部さんは重要なことを指摘されました。

もしバイデン政権になればアメリカはどうなるか。

これはもう、正当性のない政権になるわけです。何度も言いますが、クーデターで成立した政権ですからね。

非合法な革命やクーデターなどを経て成立した政府が、他国から国を代表する〝正式な政府〟として認められるには「政府承認」という国際法上の行為が必要になります。バイデン政権はまさに非合法な政府ですから、本来であれば政府承認が必要なレベルです。世間一般的には、まさかそんなものは必要ないだろうと思われるかもしれませんが、私は厳密に国際法を解釈すればそうなると思います。

そんな非合法な政権ですから、たとえばプーチン大統領は、本当ならバイデン政権を承認したくはなかったと思います。１９２２年に非合法な政権として成立したソ連をアメリカが承認したのはルーズベルト大統領時代の１９３３年で、実に10年以上かかっているわけですよ。

日本のメイン・ストリーム・メディア、つまりテレビや新聞を見ていても、誰もバイデン政権の正統性の話をしません。バイデン政権があれだけの不正選挙で成立したことはもう事実として明らかになっているにもかかわらず、クーデター政権であり非合法な政権であるということを議論しない。これはどういうことかと思います。

だから、岡部さんが指摘されたように、バイデンが世界をリードできるはずがないんです。世界はバイデン政権を信用しないですよね。

バイデン政権が世界から信用されなければ、今度はアメリカが分裂するだけじゃなくて世界も分裂する。そうなると、これは私が常々言っているように、もはや「ハルマゲドン（世界最終戦争）」なんです。聖書に書いてある通りになるかどうかは別にしても、これから世界は〝愛国者同盟〟と〝グローバリスト同盟〟の戦いになっていきます。

それは我々が知っている古典的な意味での戦争じゃないかもしれないけれども、あらゆる局面でこの二つの思想がぶつかり合うことになるでしょう。

現に日本ではもうぶつかり合っています。その結果、今やグローバリストが日本の政権を握り、日本を動かしているわけです。だから、もはやグローバリストの思想が世界中を席巻しつつあるというのが現状なんじゃないかと思います。

第2章

新・日英同盟

～英国とインテリジェンス～

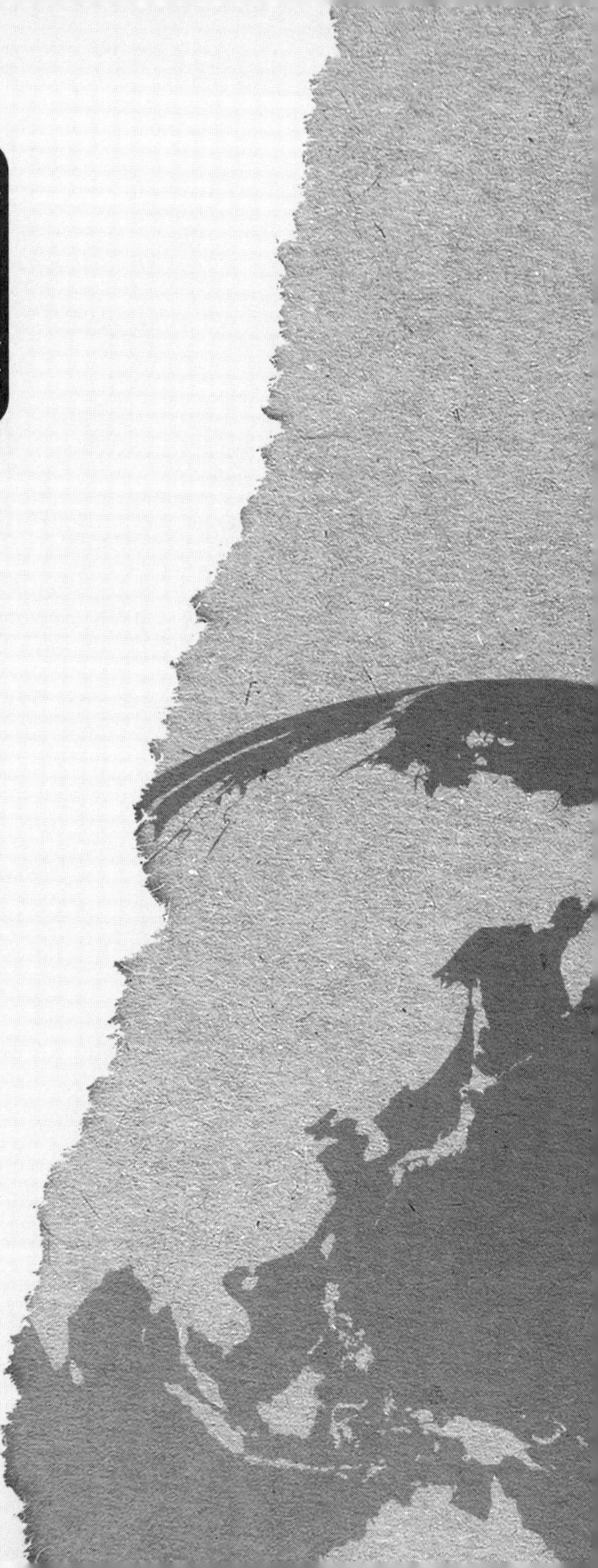

EU離脱後のイギリスが最初に選んだパートナーは日本だった!

馬渕:2020年のアメリカ大統領選挙を境に、世界はこれまでとは違う局面に突入しています。まだまだ世界の混乱は終わりそうにありませんね。

岡部:私も混乱は続くと思います。では、アメリカが超大国として世界で指導力を発揮できない状況の中で、日本はどうするのか。

米中の熾烈《しれつ》な覇権争いが続く中で、日本がどちらにつくかというと、当然ながら同盟国であり、民主主義を牽引《けんいん》するアメリカ側につくことになります。しかし、正直に言って、バイデン政権のアメリカはいまひとつ超大国として指導力を発揮できないことが予想されます。

そうした中で、私は、アメリカを補佐する日本のような〝ミドルパワー〟、すなわち準大国が同盟や統一戦線を作って覇権主義で強権国家の中国に対抗する、あるいは中国包囲網を作っていくべきだと思います。そうすることで、自由と民主主義、法の支配などの普遍的価値観を守っていくことが重要です。

では、そのために日本がどことスクラムを組むべきなのかを考えてみると、私は、イギリスだと思っています。

言うなれば、「新・日英同盟」を結ぶということですね。約１００年前まで「日英同盟」を結んだ同じ立憲君主制の海洋国家という大きな共通点があるので、日本もイギリスとなら安全保障でも経済でもうまくやっていけると思います。

馬渕：私もイギリスを味方につけることには大賛成ですね。結局、今も昔も世界を動かしているのはイギリスですからね。

岡部：今イギリスは、かつて日英同盟（１９０２年に日英間で締結した軍事同盟）を結んでいた時以上に、日本にラブコールを送ってきています。たとえば、２０１５年に発表した国家安全保障戦略では、戦後初めて日本のことを「同盟」と明記しました。これはイギリスにとって日本が、オーストラリアやニュージーランドという英連邦の中でも中核の「自治国」の兄弟国と同じように、価値観を共有する同志のような存在だと認めたことを意味します。イギリスはEUを離脱する5年も前からすでに、日本が重要なパートナーだと認識していたわけです。

これにはいろいろと理由があるんですが、いちばん大きいのはブレグジット（Brexit：イギリス〈British〉がEUから離脱すること〈exit〉を意味する造語）ですね。

イギリスはブレグジットによって大陸欧州のくびきから出て、本来の〝シーパワー（海洋国家）〟に戻ろうとしています。つまり、かつての大英帝国時代のように、ヨーロッパ以外の世界への関与を強め、〝グローバル・パワー（世界国家）〟として行動することで存在感を示そうとしているわけです。

その一方、ＥＵから離脱したことで世界から孤立したくはありません。成長するインド太平洋に進出するにはパートナーが必要です。しかし、コロナ禍で情報隠蔽《いんぺい》も民族弾圧も辞さない全体主義国家の素顔が判明した中国とは手を組めない。そこで白羽の矢が立ったのが、同じ島国の海洋国家で、同じ立憲民主制で〝自由と民主主義の価値観〟を共有する日本だったのです。

馬渕：なるほど。イギリスが海洋国家に回帰することに活路を求めているというご指摘には同感です。

岡部：イギリスは経済停滞に悩んだ１９６８年にスエズ運河以東のアジア各地から駐屯英軍を撤退させて以来、スエズ以東には手を伸ばさないことをずっと外交方針にしてきました。

しかし、ここにきて半世紀ぶりに国家の針路を〝大陸〟から〝海洋〟に切り替え、再びスエズ運河より東に目を向けています。特に、かつて経済と軍事で覇を唱えた〝インド太平洋〟を、21世紀に最も成長が見込める重点地域としてとらえ、「脱欧入亜」として「アジア回帰戦略」に大転換し、ＥＵ離脱後の外交・安全保障と経済・貿易の両面でアジア関与を強めようとしています。

そんなイギリスの思惑にピタッと合致したのが、日本が推進する「自由で開かれたインド太平洋構想※」でした。

2020年10月23日、東京で日英包括的経済連携協定に署名したエリザベス・トラス英国国際貿易大臣と茂木敏充外務大臣 © 代表撮影/AP/アフロ

イギリスは日本のインド太平洋戦略とリンクしながら、再びアジアに出てきています。

その具体的な動きのひとつが、２０２０年10月に交渉開始から、わずか４カ月で締結した日英包括的経済連携協定（ＥＰＡ）という経済連携です。両国の議会が批准《ひじゅん》して２０２１年１月１日から発効しました。

日本のメディアではあまり話題になった印象がありませんが、実はＥＵから離脱したイギリスが、世界で初めて経済連携を結んだ国が日本でした。アメリカよりも早いわけです。そし

※自由で開かれたインド太平洋構想：２０１６年に当時の安倍晋三首相が提唱した外交方針。インド洋と太平洋を自由で開かれた国際公共財として発展させ、成長著しいアジアと潜在力あふれるアフリカの連携を向上させることで、地域全体の平和・安定・繁栄を目指すという構想。

て、イギリスはこれを足掛かりにTPP（Trans-Pacific Partnership Agreement：環太平洋パートナーシップ協定）に入るべく、2021年2月1日、正式に加盟申請しました。それを後押ししているのがTPP議長国の日本です。

イギリスは当初、日本よりも先にまず「特別の関係」のアメリカと経済協定を結ぼうとしていました。しかし、トランプ政権と交渉が頓挫《とんざ》、アジアの「同士」日本が先だと判断したわけです。イギリスでは、EU離脱後、初めて日本とEPAが締結されたニュースがBBCなどテレビ各局は、ブレーキングニュース（ニュース速報）として報じました。イギリスはブレグジットの成果として発信する意図があったにせよ、日英が連携してイギリスが経済連携協定を結んだ意味はとても大きいと思います。

中国が加盟して以来、世界貿易機関（WTO）が機能不全に陥っている現状を踏まえると、貿易協定として高い水準を持つTPPに自由貿易のルール作りに意欲を燃やす英国が規律を受け入れて参加すれば、中国など加盟希望国に同様の厳格な基準を要求できます。そして、日本と連携して不公正貿易を正す強力な枠組みとなります。中国の貿易慣行の是正には、米国を含めた多国間の協調で対処することが肝要だからです。

新型コロナの流行で世界に保護主義が広がる中、イギリスは日本と一緒に、自分たちの信条としている自由貿易と民主主義を世界に広げ、世界秩序を守る狙いです。

馬渕：岡部さんのおっしゃっている「新・日英同盟」は非常に面白いと思います。というのも、日本人は国の根幹を揺るがすような事件が起こった時にはいつも「復古」を目指してきました。明治維新にしてもそうです。あれは「改革」ではなく「復古」ですよね。つまり、日本人は、大事な局面では過去の歴史に戻って、今にどう対応するかを考えてきたわけです。

だから、新型コロナやアメリカ大統領選挙によって世界的な混乱が生じたこのタイミングで日英同盟を復活させるという「復古」は、実は歴史的に見ても日本人に合った選択なんですよね。

アジアに最新鋭空母クイーン・エリザベスを派遣するイギリスの狙いとは？

岡部：最近の日英関係でもうひとつ重要な出来事は、イギリスが最新鋭の空母「クイーン・エリザベス」を中核とする空母打撃群を２０２１年、日本近海に派遣することです。「クイーン・エリザベス」の最初の任務となり、しかも数カ月、インド太平洋に滞在します。

「クイーン・エリザベス」は満載排水量６万５０００トン、全長約２８０メートルという英海軍史上最大級の軍艦です。ギャビン・ウィリアムソン前国防相は「国際法を軽視する国」に対処するために、この最強戦力である英海軍のフラッグシップ（旗艦）を用いると述べています。明らかに中国とロシアを念頭に置いた発言です。

「クイーン・エリザベス」を中心とする打撃群には、米海兵隊の最新鋭ステルス戦闘機F35B数機と、米海軍の駆逐艦が同行しています。この米英合同で展開されることが重要です。インド太平洋地域における米国との安全保障協力も強化します。もちろん日本との協力も同様です。

空母「クイーン・エリザベス」　©Press Association/ アフロ

イギリス海軍は、朝鮮戦争で編成された国連軍の地位協定によって、在日米軍の佐世保基地や横須賀基地などを使用することができますが、「クイーン・エリザベス」の艦載機である米英のF35Bの整備を三菱重工業の小牧南工場で行う計画も進められ、海上自衛隊も後方支援します。佐世保か横須賀を母港にして、長期滞在し、日米英で南シナ海、尖閣諸島を含む東シナ海で共同演習をする予定です。

たとえば南シナ海で、「いずも」（海上自衛隊の護衛艦）と「ロナルド・レーガン」（米海軍第七艦隊の原子力空母）と「クイーン・エリザベス」の３隻が並走して演習をするということも起こり得ます。

西太平洋への空母打撃群の長期派遣は、日本はじめ関係諸国との防衛協力を強化するとともに特別の関係である同盟国アメリカの負担を軽減することでアメリカに「貸し」を作るという一石二鳥の外交上の思惑もあります。

馬渕：イギリスが、「自由で開かれたインド太平洋構想」に関心を持ったことは楽しみです。かつての七つの海に君臨したイギリスへの精神的回帰でもあるかもしれませんね。

岡部：「クイーン・エリザベス」の派遣にはいろいろな意味があります。まずアジアでの軍事プレゼンス（影響力）を示すことで海洋強国を目指し、軍拡を進める中国を牽制する大きな狙いがあります。地球規模のパンデミック（世界的大流行）を起こした新型コロナウイルスの原因を作りながら、嘘をつき続けたうえに、香港の一国二制度を破って自由を奪った中国共産党の強権体質に対する牽制ですね。

そもそもイギリスは「スエズ以東からの撤退」後も、英連邦であるマレーシアとシンガポールの防衛、安全強化のために、１９７１年に英連邦の５カ国（イギリス、マレーシア、シンガポール、オーストラリア、ニュージーランド）と「五カ国防衛取極《とりきめ》（ＦＰＤＡ）」を締結し、

2020年12月には、FPDAの外相同士で共同声明を発表し、通常戦争の抑止に注力することを確認しています。

さらにイギリスは、機密情報を共有するアングロサクソン英語圏5カ国「ファイブ・アイズ」(アメリカ、イギリス、カナダ、オーストラリア、ニュージーランド)の主要国であり、この2つの枠組みを通じてインド太平洋全域に影響を与える立場にあります。

そこで2019年、ウィリアムソン前英国防相が「EU離脱後、アジアに新たな軍事基地を検討している」と述べ、シンガポールに建設する計画を進めています。海軍基地が復活すれば、南シナ海からインド洋に抜けるマラッカ海峡の守りが強化されることになります。

ウィリアムソン前英国防相は、空母打撃群派遣を通じて「ルールに基づく国際秩序を支えるために行動する」と強調し、南シナ海や尖閣諸島を含む東シナ海などでの「力による現状変更」をこれ以上許さないぞ、という強い意思表示を示す狙いもあります。

アジア太平洋地域で深化する日英関係

岡部：イギリス外務省のマーク・フィールド前閣外相(アジア太平洋担当)が2018年に

ジャカルタで講演し、「イギリスはアジアで恒久的な安全保障プレゼンスを維持する」として、南シナ海における航行の自由と国際法の尊重を訴えてきました。

そして、ＥＵ離脱を機に、外交や安全保障政策などの見直しを進め、２０２１年3月16日に、「冷戦以降、最大」（ジョンソン首相）となる新方針を発表した中で、安倍晋三前首相が提唱したインド太平洋戦略を全面的に支持して、同地域への関与を強化する姿勢を打ち出しました。

日本、米国、オーストラリア、インドの4カ国は共有する自由と民主的価値観を基盤に安全保障面などで連携を深めています。バイデン米政権はこの「クアッド」と呼ばれる枠組みを対中国で関係協力拡大できるように強化する方針で、「自由で開かれたインド太平洋」構想を進める上で重要度が増しています。この「クアッド」にイギリスが参加することを検討しています。

今回、英国は、朝鮮戦争で編成された国連軍の地位協定によって、空母打撃群を西太平洋に展開します。地理的には遠く離れながら、朝鮮戦争にも兵を派遣して、北朝鮮にも大使館を置いて外交関係があり、「成長著しい」アジアに一定の影響力を持ち続けたいと考えているんですね。そのための最大のパートナーが日本です。

だから、日本が主導するインド太平洋戦略を受け入れ、日本と安全保障で協力していくことになったわけです。

イギリスは、キャメロン政権時代の２０１５年に策定した「国家安全保障戦略」の中で、日本はオーストラリアやニュージーランドと同じく自由や民主主義の価値観を共有する「同志のような国」の同盟国であり「アジアで最も緊密な安全保障パートナー」と明記しています。以来、イギリス政府は外交文書で、日本を「allies（同盟軍）」と呼び、日本との新たな同盟の構築を模索しています。

２０２1年2月3日にオンライン行事として開催された第4回日英の外務・防衛担当閣僚（２プラス２）会議でも、イギリスがインド太平洋地域に派遣する空母「クイーン・エリザベス」を含む空母打撃軍と海上自衛隊が共同訓練を行うことで合意しました。そして中国が制定した「国際法違反」である海警法の施行や新疆ウイグル自治区の人権状況にも重大な懸念を共有しました。

一方で米国の反対を押し切って中国主導のアジアインフラ投資銀行（ＡＩＩＢ）に欧州で最初に参加するなど「英中黄金時代」と言われるほど蜜月だった英中関係が終焉し、「脱中国」へ完全に舵を切っています。

馬渕：さっきも申し上げた通り、今も昔も世界を動かしているのはイギリスなんですよ。歴史を見ればそれはわかります。今の岡部さんのお話に出てきた朝鮮戦争との関連でいうと、アメリカは国連軍として戦いましたが、あれもイギリスの了承のもとで戦っていましたからね。重要な作戦はイギリスがオッケーを出さなければできなかった。ようするに、実態としては、アメリカの中枢部がイギリスのディープ・ステートに握られていたわけですが。

そうやって世界を動かしてきたイギリスと日本が手を組もうとしているというのは非常に面白い動きだと思います。

東郷平八郎の写真で日英4大臣が意気投合

岡部：歴史に関連する話でいうと、東郷平八郎元帥※（1847〜1934）は今でもイギリス人から「東洋のネルソン」として敬愛されています。

※**東郷平八郎**：薩摩藩（鹿児島県）出身の海軍大将・元帥。日清・日露戦争で日本海軍を率いて活躍し、国民的英雄となる。特に日露戦争の日本海海戦では当時世界最強と言われたロシアのバルチック艦隊を撃破し、世界にその名を轟《とどろ》かせて「東洋のネルソン」と称えられた。なお、ホレーショ・ネルソン（1758〜1805）は、アメリカ独立戦争やナポレオン戦争で活躍したイギリス海軍の提督。1805年トラファルガー沖海戦では、フランス・スペインの連合艦隊に勝利し、ナポレオン・ボナパルト（1769〜1821）のイギリス本土進攻を阻止したが、自らも戦死した。イギリスの国民的英雄として知られる。

ロシアのバルチック艦隊に完全勝利したという実績もさることながら、国家存亡の危機を救うために生命を賭《と》して戦ったリーダーだったことや、敵兵救助に最善を尽くし、降伏した敵将を紳士的に扱っていたことなどがイギリス人にも好まれているんだと思います。日本の武士道とイギリスの騎士道で、相通じるところがあるんでしょうね。

馬渕：東郷さんはイギリスに留学していましたよね。

岡部：はい。明治初期に約7年間、イギリスに官費留学しています。その縁から、今でも東郷元帥を顕彰するイギリス人が少なからずいるわけです。

２０１７年12月、ロンドン郊外のグリニッジの国立海事博物館で開かれた第3回日英外務・防衛閣僚会合（2プラス2）で、当時イギリスのジョンソン外相、ウィリアムソン国防相、日本の河野太郎外相、小野寺五典《いつのり》防衛相の4大臣が同博物館に所蔵されていた東郷元帥の肖像写真を一緒に見ながら談笑して、意気投合したというエピソードもあります。

ちなみに、その肖像写真というのは、観戦武官（第三国の戦争を観戦するために派遣される軍人）として戦艦「朝日」に乗り込み、日本海海戦を目撃したイギリス海軍の駐日海軍武官ウィリアム・ペケナム提督（１８６１〜１９３３）が保管していたものです。

日本海海戦の約半年前の１９０５年1月に撮られた写真で、旅順（中国遼寧省大連市。日露戦争当時、ロシア軍の難攻不落の要塞があった軍港都市）陥落直後の祝宴に東郷元帥を招いた際に、東郷元帥が出席の返信に同封した写真をペケナム提督が日記に添付し、同博物館が所蔵していました。

先ほどの話とも繋がるのですが、東郷元帥の写真で打ち解けたこの閣僚会合の翌日、小野寺防衛相（当時）がポーツマス港を訪れ、完成直後の空母「クイーン・エリザベス」を外国閣僚として初めて見学して、アジア派遣の際に海自の「いずも」と共同演習を実施することを提案しました。この日本のラブコールに4年ごしにイギリス側が応じようとしています。

2017年12月、ロンドン郊外のグリニッジの国立海事博物館で開かれた第３回日英外務・防衛閣僚会合（2プラス2）にて、談笑する四大臣
© 代表撮影 /AP/ アフロ

東郷平八郎の肖像写真と直筆の手紙　© 岡部伸

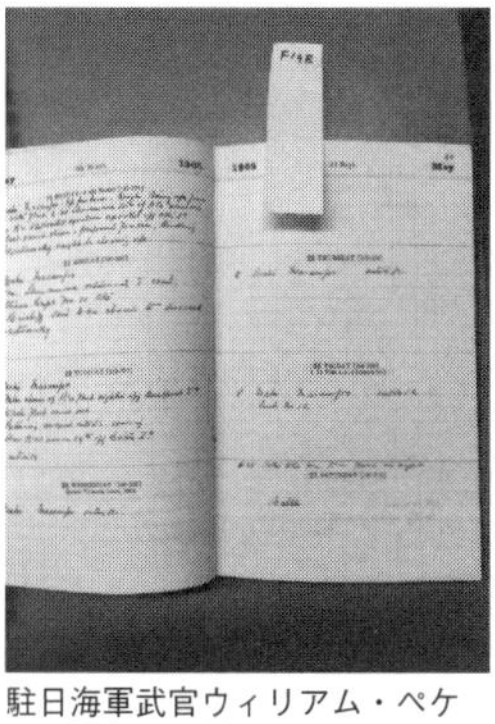

駐日海軍武官ウィリアム・ペケナム提督の日記　© 岡部伸

東郷平八郎ゆかりのイチョウ「帰郷」プロジェクトとは？

岡部：東郷さんに関する話題をもうひとついいでしょうか。これは私自身も多少関わった話なんですけども。

馬渕：ええ、もちろんです。どうぞ。

岡部：明治初期の日本政府は、当時世界一の造船技術を持っていたイギリスに軍艦の建造を依頼しました。この時に造られたのがコルベット艦の「金剛」「比叡」「扶桑《ふそう》」という3隻です。この3隻はアジアでは唯一の近代的装甲艦で、黎明《れいめい》期の日本海軍のシンボルとして知られています。

3隻のうち「比叡」は、ウェールズのペンブロークという、英海軍工廠《こうしょう》（軍直属の軍需工場）のあった街で造られました。これに船の建造を監督する艤装《ぎそう》員として関わっていたのが当時イギリスに官費留学中だった東郷元帥でした。

1877年6月に比叡が完成し、ペンブロークで進水式が盛大に行われると、日本政府を代表して当時駐英特命全権公使だった上野景範が感謝のしるしとしてイチョウの苗木を地元に寄贈しました。このイチョウが、当時東郷元帥が滞在していた英海軍士官宿舎の裏庭に植えられたんですね。

その翌年１８７８年、東郷元帥が比叡を回航して帰国し、27年後の１９０５年に日本海海戦でバルチック艦隊を撃破する歴史的勝利を収めると、ペンブロークでは「我が町こそ日本海軍発祥の地なり」と盛り上がり、市民たちがこのイチョウを「東郷ゆかりのイチョウ」と語り継いでいくようになりました。

そのイチョウが１００年以上経った今では20メートル近い大木に成長したので、２０１７年頃から地元の郷土史家デービッド・ジェームズさんが中心となり、「日英友好のシンボル」として日本の東郷ゆかりの地に里帰りさせようという「帰郷」プロジェクトをボランティアで立ち上げたんです。

馬渕：心あたたまるお話ですね。東郷さんが彼らに慕われていることがよくわかります。

岡部：当時私は、ロンド

初代「比叡」進水式の様子を伝える地元新聞と記念写真 © 岡部伸

大木に成長した東郷ゆかりのイチョウ © 岡部伸

ンで、その話をたまたま耳にして、ペンブロークまで訪問して地元ウェールズの人たちの熱い思いを2018年10月に産経新聞の国際面で小さく報じました。すると、いろいろな形で協力を申し出てくれる人たちが出てきたんですね。

イチョウの受け入れの申し出も、東京・原宿の東郷神社を皮切りに、旧海軍鎮守府があった広島県呉市、京都府舞鶴市、長崎県佐世保市、神奈川県横須賀市の旧軍港4市が次々に名乗りを上げてくれました。さらに他にも、東郷元帥の生誕地・鹿児島市や私邸跡が東郷公園になっている東京都千代田区の区議や市民からも移植の希望をいただきました。

ちなみに、苗木を日本に輸入するには、植物防疫所で、病害虫の侵入を防ぐための厳しい検疫をパスしなければならないという頭の痛い問題に加え、高額な輸送費の難題もあったんですが、日本側の関係者の方々もいろいろと協力してくれたおかげで何とかクリアできました。

特に輸送費の問題は、ボランティアの人たちが手弁当でプロジェクトを進めていたこともあり、本当に深刻でした。日本への輸送費用の工面がつかず、計画が一時暗礁に乗り上げたんですが、産経新聞の報道で「帰郷」プロジェクトを知った日本郵船とその関連会社の方々が手を差し伸べてくれました。実は、第一次世界大戦末期の1918年にウェールズ沖でドイツ潜水艦に撃沈され、乗組員と乗客合わせて210人が犠牲になった日本郵船の貨客船「平野丸」の慰霊碑を、ジェームズさんが地元の教会に再建してくれたという恩義もあったからでした。

まさに日英の草の根に広がった〝善意の輪〟です。こうして東郷ゆかりのイチョウの苗木15株が２０１９年12月24日、広島市植物公園に届けられました。そして、苗木を日本の土壌に慣らした上で、その1株がまず２０２０年7月1日、呉市の旧東郷家住宅離れの庭に移植されたんですね。

挨拶する英国海軍サイモン・ステイリー大佐
© 岡部伸

この日行われたイチョウの植樹式では、イギリスの大使館に勤務するイギリス海軍駐在武官のサイモン・ステイリー氏もわざわざ呉まで足を運んでくださいました。「イチョウの木は本当に生命力がある。数千年樹齢があると言われている。イチョウの木のように日英関係をさらに強くしていきたい」という内容のスピーチを、たどたどしい日本語でがんばって話されていたのが心に残っています。

さらに同年11月22日、鹿児島日英協会（島津公保会長）の尽力で、東郷元帥の出身地、鹿児島の銅像がある多賀山公園にもイチョウの苗木が移植されました。さらに舞鶴市や佐世保市、横須賀市でも植樹される予定です。

私自身がこういう経験をしたこともあって、今、本当にイギリス側から日英関係を広げていこうという動きが、非常に高まっていると実感しています。政府レベルでも、民間レベルでも。

馬渕：すばらしいエピソードですね。でも情けないことに、肝心の日本政府がイギリスと中国の間をいまだにフラフラしています。どちらにつくべきかなんて、歴史を見れば答えはひとつしかないんですがね……。

どうなる？　日本のファイブ・アイズ入り

岡部：最近の日英関係に関することで、もうひとつ忘れてはいけないのが「インテリジェンス」についてですね。

２０２０年にはよく話題になっていたのでご存じの読者の方も多いかと思いますが、ファイブ・アイズは真珠湾攻撃の10カ月前の１９４１年2月、米国の情報士官がロンドン郊外のブレッチリー・パーク（英政府暗号学校）を訪れ、暗号解読協力という「特別な関係」を始めたのが原点です。この協力関係によりナチスドイツの使用していた暗号エニグマと日本の外務、陸海軍のあらゆる暗号を解読し、英連邦の中核ドミニオン（英自治領）のカナダ、豪州、ニュージー

第二次世界大戦中、米国の情報士官が訪問して米英特別関係で暗号解読協力を始めた部屋 © 岡部伸

ランドと機密情報を共有しました。ソ連が対日参戦する約1カ月前の１９４５年7月には、ヤルタ密約もドミニオンで共有しています。

戦後、5カ国は情報保護を担保する「ＵＫＵＳＡ協定」を結び、旧ソ連を対象に、世界に展開する通信傍受網エシュロンで得たテロや軍事情報を分析・共有しました。

冷戦後、国際テロの監視対象を２００９年頃から中露に変え、２０１０年に英国政府通信本部（ＧＣＨＱ）が創設文書の一部を公開したことで、初めて公式に機密解除となり、その存在が公に明らかとなりました

近年、そのファイブ・アイズと日本との連携協力が進んでいます。相互に「リエゾン」と呼ばれる連絡要員を派遣し、情報交換を重ね、２０１８年、日本は独仏とともにサイバー攻撃に対処する枠組みに招待され、同年10月には、米空軍宇宙コマンド主催多国間机上演習に初参加しました。

私は、こうした日英の諜報《ちょうほう》分野での接近について、２０１５年からおよそ4年間ロンドンに

産経新聞ロンドン支局長として駐在した際に、知遇を得た英秘密情報部（SIS、通称MI6）の関係者と数カ月に一度、議論を重ね、「条件整備すれば、日本は参加できる」と前向きな回答を得ていました。ところが、新型コロナウイルスを世界に感染拡大させた中国が香港で国家安全維持法を導入する「弾圧」を始めた2020年6月下旬に電話をすると、「オフレコだけど、すでに我々は日本を6番目のメンバーに招待している。日本が決断すれば、正式に入れる」と一歩踏み込んだ言葉を聞き、膝を打ちました。

この電話から約1カ月後の7月21日、英下院外交特別委員会のトム・トゥーゲントハット委員長は、主宰する保守党内の「中国研究グループ」のオンライン勉強会で、河野太郎防衛相（当時）が提案した、ファイブ・アイズに日本が6番目の加盟国となって加わる「シックス・アイズ」構想を歓迎し、「多くの理由から日本は重要な戦略的パートナーである。あらゆる機会に、さらに親密に協力すべきだ」と述べています。

野党労働党のトニー・ブレア元首相も、産経新聞の電話取材に、自由主義諸国が連携して中国の脅威に対抗する必要があるとし、ファイブ・アイズへの日本の参加を「我々は検討すべきだ」と述べました。

メディアも保守系『デイリー・テレグラフ紙』が、「中国依存から脱却して国家に重要な通信や原発などのインフラを守るため、ファイブ・アイズは日本の正式参加を検討」と伝え、リベラル系『ガーディアン紙』も、「日本がファイブ・アイズに参加し、６番目となる可能性がある」と報じました。日本を「ファイブ・アイズ」に参加させる構想は超党派の考えで、メディアも党派性を超えて支持するイギリスの〝国論〟のようになっています。

そして９月の英国議会でボリス・ジョンソン首相が日本の参加は「私たちが考えているアイデア」と正式に招待したい意向を示しました。ジョンソン首相は、日本のファイブ・アイズ加盟がイギリスの国益にかなうものであり、今まで以上に日英関係が生産的になるとはっきり公言しています。

馬渕大使には改めて申し上げるまでもないことですが、これは別にイギリスと日本だけに関係する話ではありません。

アメリカに目を向けると、２０２０年12月７日には、共和党ブッシュ政権で国務副長官を務めたリチャード・アーミテージと、民主党クリントン政権で国防次官補などを務めたハーバード大学教授ジョセフ・ナイが報告書を出しています。知日派の日本研究家が超党派で日米の取り組むべき課題をまとめた、いわゆる「アーミテージ・ナイ報告書」と呼ばれるものです。その中で日本がファイブ・アイズに入って「シックス・アイズ」になることを日米が後押しするべきだということをはっきり書いています。またオーストラリアも、日本のファイブ・アイズ入りを公式に支持しています。

面白いのは、ファイブ・アイズが単なる〝機密情報の共有グループ〟ではなくて、アングロサクソンの5カ国が「政治同盟」のように中国に対して共同声明を出す、また中国を排したサプライチェーンを模索するなどの「経済同盟」として強硬な対中の枠組みになっているということです。

たとえば2020年11月18日には、中国が香港立法会（議会）議員の資格剥奪《はくだつ》を可能にする新しいルール、すなわち民主派議員を議会から排除するためのルールを突然作ったことに対して、ファイブ・アイズ5カ国の外相が共同声明を出して「批判的な意見を抑え込む組織的な活動を行い、国際的な義務に違反している」と非難しています。このように、中国の独裁的で強引な現状変更のやり方に対してファイブ・アイズで物を申していこうというわけです。

また、これまで中国に頼っていたレアアースなどのサプライチェーンをファイブ・アイズの中で供給していこうという経済的な連携協力はオーストラリアのスコット・モリソン首相が提案して、実施に向けて進んでいます。

日本のファイブ・アイズ入りの話は安倍政権末期から進んできました。イギリスの政治エリートたちは今、菅義偉《すがよしひで》政権がこのファイブ・アイズの枠組みに入る意思があるのかを気にかけています。先ほど申し上げた通り、河野太郎さんははっきり入りたいとおっしゃったけど、媚中派・親中派に顔色を窺いながらやっている菅政権が、果たしてどこまで本気でファイブ・アイズと足並みを揃えて中国に物を申すことができるのか。彼らはすごく気にしています。ジョンソン首相も、昨年９月の議会で、「日本を招待したい」と述べながら、「まだ日本から参加の意思が表示されていない」と残念そうに述べています。

馬渕：そうでしょうね。菅総理のこれまでの姿勢からすれば、なかなか決断できないのではないでしょうか。特に政権基盤が二階俊博幹事長にある以上、二階さんの意向を無視できないと思います。

岡部：せっかくのチャンスですから、やはり日本としては、きちっとした枠組みの中に入って、アングロサクソンのファイブ・アイズと足並みを揃えていくべきでしょう。そして、価値観を共有する国々とスクラムを組みながら民主主義を守るということに、主導的な役割を果たしていくべきだと思います。

もちろん課題は多々あります。情報保護体制では、特定秘密保護法ができましたが、本格的なスパイ防止法や統一的なセキュリティ・クリアランス（適格性評価）制度の整備などが焦眉《しょうび》の急です。何よりも、自前の機密情報を取得する対外情報機関がありません。またファイブ・アイズで主流となりつつあるデジタル情報において、日本は特別の組織を持っていません。

しかし、課題が多いから英国からのラブコールに正面から向き合わず、協力だけでとどまってよいのでしょうか。私は、中国の覇権的行動が続く今、前向きに取り組まなければ、国益を棄損すると思います。

現行の特定秘密保護法下で、日本語の新聞や雑誌などから得られる公開情報を収集、分析する「オシント（OSINT：オープン・ソース・インテリジェンス〈Open source intelligence〉の略）」の情報を国家安全保障局が「コレクティブ・インテリジェンス」（協力諜報）で集約して英訳すれば、アングロサクソン5カ国に提供でき、ギブ・アンド・テイクが成立するとの考えもあります。実際に防衛省が傍受する北朝鮮と中露の軍事情報や公安が扱うテロ情報は米英に重宝されています。

作家の佐藤優さん（元外務省主任分析官）は「公安調査庁など既存の情報コミュニティを強化する方向で対応する方が、はるかに低コストで現実的」と主張しています。

情報大国の招請を断る理由はどこにもありません。既存の体制で今すぐ準備を始め、アングロサクソン同盟に入るべきです。自由主義陣営の一員であることを明確にして、安倍首相が進めた「積極的平和」のアプローチで、諜報でも自立して暴走する中国を封じ込めたいと思います。

英米関係はバイデン政権で悪化する⁉

馬渕：トランプ・安倍時代なら、今、岡部さんがおっしゃったように、ファイブ・アイズに日本が入ってシックス・アイズになるか、あるいは台湾が入ってセブン・アイズになって、いわゆる「自由で開かれたインド太平洋構想」の要《かなめ》になる、というのが理想的なシナリオだったと思います。

しかし、ディープ・ステート政権とも言えるバイデン政権ができてしまった以上、それがすんなりいくかどうかは大いに疑問ですね。今後の米中関係がどうなるかによって大きくシナリオが狂ってくるかもしれません。

岡部：そうですね。おっしゃる通りです。確かに対中姿勢に不安を抱えるバイデン政権では、心もとないところがあります。

馬渕：そういう不安要素がまだありますよね。それから、先ほどの岡部さんの分析そのものには同意するんですが、ジョンソン政権の立ち位置というのはいったいどうなっているのでしょ

ボリス・ジョンソン

うか？

というのも、ジョンソン首相はバイデンに祝辞を送った、最も早いうちのひとりでした。ジョンソンさんは今、いったい何を考えているのでしょうか？

岡部：まず大前提からお話しすると、率直に言って、米英関係は一般論としてバイデン政権になると悪化すると言われています。ジョンソンとバイデンの因縁はオバマ政権時代にまで遡《さかのぼ》ります。

オバマは大統領就任後まもなく、それまでホワイトハウスの大統領執務室に置かれていたウィンストン・チャーチル（１８７４〜１９６５）の胸像を部屋から撤去したんですよ。それに対して当時ロンドン市長だったジョンソンがオバマのイギリス訪問時に「あいつはケニアの血が入っているから、大英帝国にコンプレックスを感じているんだろう」と口にしました。有名なジョンソンの〝舌禍《ぜっか》事件〟のひとつです。

馬渕：確かジョンソン首相はチャーチルのことを尊敬していましたよね。

岡部：はい。自分でチャーチルの評伝を書くほど崇拝しています（『チャーチル・ファクター　たった一人で歴史と世界を変える力』石塚雅彦・小林恭子訳、プレジデント社、２０１６年）。

でも、そんなこと言われたら当然オバマだって怒りますよね。これでオバマ政権とジョンソンは非常に険悪な関係になってしまいました。

そして、みなさんご存じの通り、当時の副大統領がバイデンです。

こうした過去の因縁もあるので、バイデン政権のアメリカとジョンソン政権のイギリスでは非常に相性が悪い。

バイデン政権で米英関係が悪化するだろうと思われるもうひとつの理由は、バイデンはアイルランド出身なので、ブレグジットではどちらかというとEU残留派、つまりジョンソン首相の離脱には反対の立場だったということです。

これまではトランプもEU離脱派だったので、ジョンソンとは馬が合っていました。トランプもチャーチルの胸像を大統領執務室に戻すほど、チャーチルを崇拝するという個人的な共通点もありました。でも、それがバイデンに代わると、これまでの特別な米英関係に陰りが出てくるのではないかと言われています。さっそくバイデンは、チャーチルの胸像を再び、大統領執務室から撤去してしまいました。

しかし、私の見たところ、大統領や首相が代わろうとも、米英関係の基本的な根幹の部分は変わらないと思います。首脳間の相性が悪くとも、米英のＤＮＡに染み込んだ「特別の関係」

は強固だからです。ジョンソンはバイデンとの関係を修復していけるのかを今後しっかり注目していかなければならないと思います。

現実主義者、ジョンソンの思惑

岡部：それから、本題の「ジョンソン自身が今何を考えているか」という話ですね。やはり彼は現実主義なんですよ。EU離脱派は、「鉄の女」と言われた保守党の宰相、マーガレット・サッチャー以来の保守党の本流にあたります。つまり、EU懐疑やEU離脱が保守本流で、サッチャーの影響が色濃く反映した伝統的な考え方です。なぜならEU離脱は一時の国民感情が盛り上がった偶発的なものではなく、英国民が広く共通して長期間、欧州に対して抱いていた不満に根ざした構造的問題であるためです。

これまでジョンソンはその離脱派を中心とする保守本流に支えられながら、残留派の一部からも支持を集めていました。そこは彼の強い指導力という要素が大きいと思います。前任のテリーザ・メイ首相に指導力がなかったわけではありませんが、メイ前首相はややもすると、色々な人の意見を聞きすぎて、「優等生」としてあらゆる人の意見を取り入れようとして決断できずに、結果として、離脱、残留の双方から反発を買って自滅したところがありましたから。混乱回避に保守本流として離脱をやり遂げたジョンソン首相の突破力は評価していいと考えています。

馬渕：同感です。ジョンソンさんの離脱実現へ向けた強引な手法を見ていて、イギリス人は妥協がうまい国民性がありますから、案外最後は収まると思いました。

岡部：ジョンソンは、保守本流の離脱派の考えを推し進めながら、トランプやプーチン、トルコのエルドアン大統領などと同じように、パワー・ポリティクス（権力政治）の時代に強い指導者を目指して、イギリスを立て直そうとしています。

ＥＵから離脱して欧州という枠からイギリスを解放し、世界各国との連携によって国を活性化させていく「グローバル・ブリテン（世界の英国）」構想を掲げたわけです。

そんなジョンソンですから、米英関係というのはイギリス外交政策にとって「一丁目一番地」であることは十分よく理解しています。だからこそ関係が深かったトランプ前大統領の落選が確定すると、個人的な好き嫌いを抜きに現実主義として、真っ先にバイデン大統領と電話会談に臨んだのだと思います。しかし、バイデン政権のアメリカと特別良好な関係が維持できるかどうかは、イギリス国内で疑問が持たれています。

だからこそ、ＥＵ離脱後、アジア太平洋に目を向け、日本との関係を深化させながら、西側での仲間を増やしていこうというのがジョンソンの本音だと思います。EUから完全離脱した上で、シーパワー（海洋国家）に立ち戻って、一からやり直そうとしているのでしょう。

馬渕：なるほど。岡部さんは先ほど「米英関係の根本は変わらない」とおっしゃっていましたが、確かに私もそれは感覚的にはよくわかります。もともと同じアングロサクソンだったはずですから、そういう濃い血の繋がりのようなものもあるんでしょう。

でも、もっと具体的にいえば、シティとウォールストリートの関係といいますか……シティとウォールストリートは利害が一致しないところもあるんですが、しかし国際金融家としての両者の関係が実は米英関係の基盤にあります。「米英関係の根本は変わらない」とは、その部分は変わらないという主旨なんでしょうか？

それとも、アングロサクソンのいわゆる血の関係がどのような政権になろうとずっと続いていくということなんですかね？

岡部：おっしゃる通り、英米は金融面での繋がりでも根本は変わらない部分があります。安全保障においてもそうです。イギリスはEUを出てもNATO（北大西洋条約機構）の中核であることに変わりはありません。ですから、NATOでは今後もアメリカとともに主導権を発揮することになります。

また、イギリスは防衛費についても積極的に増やしていく方針で、２０２０年11月には今後4年間で防衛費の投資を当初の計画より１６５億ポンド（約２・３兆円）上乗せすると発表しました。これは過去30年で最大の増額です。ジョンソンは今後、サイバーセキュリティ、ＡＩなどの最新技術の活用、宇宙分野に特に力を入れて積極的に投資していくとも言っています。

それを踏まえると、イギリスはやはりＮＡＴＯに関しては、アメリカをＮＡＴＯから逃さないように、他の大陸欧州との触媒役として、これまでと同じような役割を果たしていくと思いますね。

ＮＡＴＯは今後どうなっていくのか？

馬渕：なるほど。ではそのＮＡＴＯについてですが、ご承知のようにトランプさんはＮＡＴＯに対して非常に懐疑的でした。

そもそもＮＡＴＯがなぜできたかというと、ソ連の脅威に対抗するためです。だからソ連が崩壊した時点でもうＮＡＴＯも存在意義を失ったはずなんです。ところが、生き延びた。それがロシアのプーチンにとっては最大の不満のひとつなわけです。

しかも、そのNATOが加盟国を増やし、東欧にも拡大している。当然、プーチンからすれば「それは約束違反じゃないか」となります。

一方、アメリカは、オバマ政権まではNATOのやり方を支持していましたが、先ほども言ったようにトランプ大統領はNATOについてすごく懐疑的で、むしろ不要だというくらいに考えていましたよね。

NATOは経緯的に対ソ連のために出てきて、今では対ロシアが建前です。しかし、ロシアが本当にヨーロッパにとってそれほど脅威なのかと考えた場合、私からすればむしろNATOは対中国として意義が出てくるのではないかと思いますね。岡部さんはその点、どうお考えですか？

岡部：それは、馬渕大使のおっしゃる通りです。僕もソ連崩壊の時、NATOも、それからEUも存在意義を失ったと思っています。そう指摘する有識者がイギリスにはけっこういます。だけど、なぜNATOが生き延びてきたかというと、やっぱり対ソ連や対ロシアだけではなく、彼らの言うところの「新しい脅威」、ようするに、イスラム原理主義過激派によるテロやその他のあらゆる脅威に対する安全保障の枠組みとして生き延びてきたわけです。

NATOは第二次世界大戦後、もっぱら旧ソ連、ロシアへの対応に注力してきましたが、

2019年の首脳会議で初めて中国の「脅威」を議論し、2020年12月に公表した報告書で、中国をロシアと並ぶ「巨大な脅威」と中国の脅威に正面から向き合う方針を固めました。そしてコロナ禍の2021年2月のミュンヘン安保会議で、ストルテンベルグ事務総長が、中国の脅威に、日本やオーストラリアと「緊密な関係を深めるべき」と述べ、国際秩序を維持する方策として、ルールを変更する中露に対しては「共同でしかルールに従うよう促せない」と日豪との協力の重要性を訴えました。馬渕大使がご指摘された通り、むしろロシアよりも中国の脅威をNATO自身が認識し始めています。

ですから、対中国では、NATOの求心力が再び深まりつつあると思います。アメリカが分裂しかけている現状も踏まえれば、なおさらですね。

それから、確かにトランプが一時NATO不要論を唱えたため、フランスのエマニュエル・マクロン大統領がNATOは脳死状態だとして、再び「欧州軍」創設を呼びかけて、欧州だけで軍備を進めようと言い出した※わけです。

※2018年、マクロンはフランスのラジオ局のインタビューで、アメリカに頼らず自力で欧州を守るために欧州軍の創設を唱えた。また、「中国やロシアだけでなく、アメリカからも我々は自衛しなければならない」とも発言している。

私はこれは、おかしいと思っていました。実際、イギリスでも「NATOがあるのにどういうこと？」と懐疑的に見る分析が一般的でした。

当然ながらバイデン政権になって米欧協調が復活して、アメリカがNATOにもう一度戻ってくることになると、「欧州軍など不要」という議論が今ヨーロッパで起きています。

エマニュエル・マクロン

中国を脅威と認識し始めたNATO

岡部：特にヨーロッパ各国の国防担当者は、ロシアに次いで中国の脅威を警戒しています。地理的には離れているとはいえ、中国が仕掛けている一帯一路や東欧に約束した経済援助、フェイクニュース、サイバーテロなどを強く警戒し始めたわけです。とりわけコロナ禍以降は、この動きが急ピッチで進んでいます。

イギリスに赴任中、スウェーデンのペーテル・フルトクビスト国防大臣に2回インタビューしたことあるんですが、ジョージアとウクライナへの軍事侵攻などからロシアの侵攻を警戒する一方、2018年頃にはすでに中国の脅威も口にしていました。

NATOにとって正面の脅威、直接的な脅威はロシアです。

スウェーデンには、バルト海の真ん中に浮かぶゴットランドという島（宮崎アニメの『魔女の宅急便』のモデルになった風光明媚な島）があるんですが、ここは東西冷戦の最前線でした。ソ連の飛び地のカリーニングラード（旧ドイツ領ケーニヒスベルク）からわずか北西300キロしか離れていなくて、冷戦時代にはここにスウェーデン軍の前線基地があったんですね。ソ連崩壊後の2004年に撤去して引き上げた常駐部隊を2017年7月から再配置しました。

ゴットランド島演習 © 岡部伸

2014年のウクライナ危機をきっかけにハイブリッド戦争を仕掛けるロシアに加え、さらに中国が「中国版イージス艦」のミサイル駆逐艦「合肥」はじめ中国海軍艦隊をバルト海まで派遣して中露で演習を行うなど新たな脅威が高まったためです。次はロシアが中国と結託してバルト三国を再び侵攻するのではないかとバルト海沿岸では警戒が高まっています。
欧州での緊張の高まりを受けてスウェーデンは、防衛力を強化する必要が生じたとして、徴兵制を復活させ、2020年10月には2021～2025年の防衛費を40％引き上げると発表しました。

　EU諸国にとっては、これまでのようにロシアが直接的な脅威であることは間違いありません。しかし、最近では同時に、中国の欧州への台頭が加わり、NATOも「中国の脅威に対して備えるべき」と警戒を始めました。

馬渕：中国の脅威は前々からわかっていてしかるべきだと思いますけどね（笑）。

岡部：そうですよね。いずれにせよ、彼らが中国の脅威を認識し始めたという意味でも、僕はもうNATO不要論といった類の議論は出てこないんじゃないかと思っているんです。それと関連して、イギリスはヨーロッパの中でのNATOの中心ですから、EU離脱後、これまで以上に存在意義が高まるんじゃないかと思います。

カリーニングラードとゴットランド島の位置関係

実際、２０１８年には欧州各国の共同出資により、ＥＵとＮＡＴＯの代表として、ハイブリッド戦争（従来のような正規軍による軍事力中心の戦争ではなく、正規戦、非正規戦、サイバー攻撃、世論操作など、ありとあらゆる手段を組み合わせて、目的達成のために行われる戦争）を研究する機関「欧州ハイブリッド脅威対策センター（The European Centre of Excellence for Countering Hybrid Threats）」がフィンランドの首都ヘルシンキにできました。またバルト三国のエストニアの首都タリンには、ＮＡＴＯが「サイバー防衛協力センター（ＣＣＤＣＯＥと略称）」を作り、毎年、サイバーテロ演習を行っています。

馬渕：ハイブリッド戦争といえば、ウクライナ危機ですね。

岡部：ええ、そうです。「欧州ハイブリッド脅威対策センター」では、ロシアがウクライナ危機でハイブリッド戦争を仕掛けてきたことを契機に、いかにしてそれに共同で備えていくかということを、ＥＵ各国の情報機関の人たちが同センターに集まって研究しています。

そこを取材してわかったんですが、研究のベースになっているのは英秘密情報部（ＳＩＳ、通称ＭＩ６。国外での活動が主な任務）のデータです。つまり、イギリスのインテリジェンスの蓄積をもとに、ヨーロッパ全体でロシアや中国、それから北朝鮮などの国々の脅威にいかに対処していくか――たとえばハイブリッド戦争で仕掛けられるサイバー攻撃や選挙への介入工作にどう対処していくか、ということを事前に各国が集まって研究しているわけです。特にロシアはSNSを使って大なり小なり、アメリカ大統領選はじめ欧米各国の選挙への影響工作にほとんど関わっていますからね。

繰り返しになりますが、その研究のベースとなっているのがMI6のデータです。イギリスは、このようにインテリジェンスでは、EUから離脱しても大陸欧州各国と協力して連携していくのだと感じました。

NATOにとってロシアは「敵国」のままなのか？

馬渕：ということは、NATO諸国は……特にイギリスは、ロシアとソ連が〝別物〟だとは見ていないということですか？

岡部：ロシアに対する厳しい姿勢はソ連時代から変わっていないと思います。たとえば2018年3月にイギリス南部のソールズベリーで、ロシアの元スパイのセルゲイ・スクリパリ氏と娘のユリアさんが襲撃された暗殺未遂事件がありましたよね。

馬渕：ノビチョク（猛毒の化学神経剤）が使われた事件ですよね。

岡部：はい。僕はあの事件を現場にも行って取材したんですが、イギリス政府がいち早く犯行に、１９７０～１９８０年代に旧ソ連軍が開発した神経剤「ノビチョク」が使用されたことを割り出し、ロシア側は否定していますが、間違いなくＧＲＵ（ロシア連邦軍参謀本部情報総局：ロシアの軍事情報機関）の犯行だと思います。それはイギリス政府ではなく、ベリングキャットというイギリスの民間調査グループが突き止め、発表しました。

イギリスには、ＣＣＴＶという街頭の監視カメラがすごくたくさんあります。そこに写った写真から、ソールズベリーの現場にいた犯人グループがロシアから来た３人組だとベリングキャットが割り出し、その調査結果をイギリス政府が裏打ちしたというわけです。

犯人グループのひとりはＧＲＵの軍医です。ノビチョクは神経剤なので、使う時には医師が必要だからです。それからもうひとりはプーチンから勲章をもらった腕利きの工作員で、あとのひとりがリーダー、つまり現場責任者を務めたＧＲＵの幹部です。ＣＣＴＶと出入国管理記録などから彼らが特定されたのですが、現場では間違いなく彼らＧＲＵの犯行と見られていま す。

イギリスが突き止めたＧＲＵの犯行という情報は本来ファイブ・アイズの5カ国でしか共有できない最高機密のものでした。しかし、あの時に限ってフランス、ドイツをはじめ、西側の

20数カ国に一気に情報を流したんですね。だから、西側諸国は一斉にペルソナ・ノン・グラータ（「好ましくない人物」の意で、自国の判断で外交官を国外退去させること）を発動させてロシアの外交官を一斉に追放する事態になったのだと思います（イギリス政府は事件後、ロシアへの報復措置として駐英ロシア人外交官23人を国外追放、アメリカやEU加盟国など25カ国で130人を超すロシア人外交官が追放となりました）。

残念ながら日本だけがその輪から外されてしまいました。情報機関がない国に情報を流すとすぐに漏れてしまうと懸念されたようです。だから民主主義国の中で、唯一日本だけが情報を貰えず、日本以外の主要国には流して、ロシアの外交官を一斉に追放しました。それなりの根拠がなければなかなかできないことです。

こうした事例を踏まえると、NATO諸国の、そしてイギリスのロシアに対する厳しい姿勢はソ連時代から変わっていないと思います。

NATO報告書でも潜在敵国としてロシアが出てきます。距離的には離れていても核の脅威があるので北朝鮮が出てくることもありますが、やはりまずロシアですね。そういった意味では、イギリスが常にまずロシアを脅威としてとらえるのは、「グレート・ゲーム」を繰り広げたソ連時代から変わっていない気はしますね。

馬渕：それは非常に面白い指摘ですね。私も最近のイギリスの考え方をフォローしているわけではありませんが、結局は帝政ロシアの時代、つまりソ連以前のロシア時代から、イギリスとロシアは常に帝国主義戦争をやっていましたからね。その時以来の歴史的な教訓というのがあるのかもしれません。

ソールズベリー事件の不可解なタイミング

馬渕：それにしても、私はあのソールズベリーの事件に関してはよくわからないところがあります。特に事件の起こったタイミングですね。なぜあんな時にわざわざ起こしたのかと思います。当時はロシアの大統領選挙の直前でした（２０１８年のロシア大統領選挙は3月18日に実施。ソールズベリー事件が起こったのは3月４日）。常識的に考えれば、そういうことをするとすぐにバレて「プーチンはけしからん！」と国際的に非難されます。それはロシア国内にも跳ね返ってきて、プーチンの大統領選挙にもマイナスの影響を及ぼすのは必至ですよね。だから、なぜそのタイミングでやったのかというのがよくわからない。もしプーチンやロシアの情報機関の指示でやったのだとすると、やっぱりタイミングが悪すぎるというのが疑問のひとつです。

その関連でいえば、イギリスがなぜファイブ・アイズ以外に西側20カ国にも情報を流して、これら諸国もロシア外交官を一斉に国外追放することになったのかも疑問ですね。

それからもうひとつの疑問は、襲撃された元スパイが二重スパイだったかどうかはわかりませんが、本当にわざわざ暗殺のターゲットにしなければならないほどの人物なのかということです。更にいえば、今回なぜ暗殺ではなく未遂で終わったのか。わざと致死量を使わなかったのか、それともやり方が稚拙だったのか、GRUがそんなヘマをやるだろうかといった疑問も出てきます。

これらの点が私にはよくわからないんですけれども、岡部さんはどうお考えですか？

岡部：僕はプーチンが直接というより、プーチンを崇拝する中堅の幹部がプーチンの意向を忖度して命じたんじゃないかなと考えています。つまり、プーチンの権威を高めるために周辺が実行したのではないかと。

襲撃されたスクリパリ氏は、ロシアからすると相当な裏切り者です。スクリパリ氏自身がのちに語ったところによると、彼はバルト三国のエストニアに駐在していた1995年にMI6に二重スパイとしてリクルートされ、欧州に潜伏しているロシア人エージェントの情報などを提供し、見返りに10万ドルを受け取ったとされています。

スパイ映画に出てくるような、自分のスパイ仲間を西側に金銭で売るという裏切り行為を働いたとして、スクリパリ氏は2004年にモスクワで逮捕され、その2年後、イギリスのためにスパイ活動を行った国家反逆罪で禁錮13年の判決を言い渡されて服役します。出てきたのは2010年のことで、例のアメリカで逮捕された「美しすぎるスパイ」の異名で有名になったアンナ・チャップマンらロシアのスパイ団10人とのいわゆる「スパイ交換」で保釈されました。

それで、その後イギリスに亡命したわけですが、実はこの時、スクリパリ氏と同じように「スパイ交換」で保釈されてイギリスに亡命したロシアの元スパイがもうひとりいるんです。CIAに関係するイギリス企業に機密情報を流した疑いで2004年に有罪判決を受けたイーゴリ・スチャーギンという軍事の専門家です。

馬渕：その人はどうしているんですか？

岡部：研究員としてRUSI（英国王立防衛安全保障研究所）にいます。だから、ソールズベリーの事件が起きるまでは、彼とは日常的に接していました。スチャーギン氏は命を狙われなかったようです。

スクリパリ氏は、イングランドの田舎町のソールズベリーで、ひっそりと暮らしながらイギリスのMI6のコントローラーと接触をして、MI6に現状を報告しながら、一方でロンドンのケンジントンにあるロシア大使館にも定期的に通っていたとも言われています。イギリスの監視下におかれながら二重スパイを続けたこと、そして、そもそもGRUの仲間の正体を暴露したことが「裏切り者は許さない」というプーチンの逆鱗《げきりん》に触れた可能性があります。だから、見せしめとして「裏切った人間は絶対に許さず。徹底的に追い詰める」という強硬姿勢を示すことで、大統領選前にプーチン政権の求心力向上を狙ったのではないかとも言われています。

もうひとりのスチャーギン氏は首都ロンドンのRUSIという世界有数のシンクタンクで、公然とロシア情勢分析を担当していることが公的に明らかになっていましたが、クレムリンに目を付けられるような活動は行っていなかったようです。表の活動をしていたスチャーギン氏ではなく、影で静かに隠遁生活を送っていたかに見えたスクリパリ氏が狙われたのは、意外な感じがしました。

二重スパイは亡命しても殺される!?

――スクリパリ氏が住んでいたソールズベリーというのはどういう街なのでしょうか?

岡部：ソールズベリーはロンドンから車で南西に約２時間の人口約４万５０００人のイングランドの落ち着いた田舎町です。美しい大聖堂が有名で、１２１５年のマグナ・カルタが所蔵され、ヨーロッパで最も古い時計も置かれています。北西13キロには摩訶不思議な古代遺跡ストーンヘンジがあります。

近所の人にスクリパリ氏について聞いても「穏やかな余生を送り、二重スパイをやっていた人とは思えない」という反応でした。たまにドーセット州のボービントンにある戦車博物館に行って戦車を見て楽しんで、周囲には、余生を過ごしているような、本当に静かな暮らしをしていたように映っていました。

しかし、先ほども申し上げた通り、定期的にロンドンのロシア大使館にも通い、情報を交換・共有する一方でＭＩ６とも接触を続けていたという話もあります。亡命したスパイの悲哀を感じてしまいます。

同じく２００６年に暗殺された元ロシア連邦保安庁（ＦＳＢ）中佐、アレクサンドル・リトビネンコ氏（当時43歳）は、明らかに反プーチンで、記者会見でも反プーチン姿勢を内外に示していましたので、ロシアに命を奪われる危険性は十分にありました。ロシア側も許さなかったと思います。

でも、スクリパリ氏には、少なくとも表向きはロシアの反感を買うような目立つ行動はしていなかっただけに衝撃も大きかった。

だから、「二重スパイになっただけで『鉄の掟』を尊ぶプーチンの逆鱗に触れて、亡命しても命を狙われるんだぞ」との厳格姿勢を示すことでロシアが綱紀粛正を図ったのではないかと思いました。もちろんいろんな見方がありますが、現地では、そのように強く感じました。

インテリジェンス大国イギリスは民間の調査能力も桁外れ！

――ベリングキャットという民間グループがGRUの犯行だと突き止めたというのもすごい話ですね。

岡部：彼らはオシント（合法的に手に入る公開情報の収集・分析）で犯行グループのメンバーの名前まで突き止めました。もちろん最初に発表したのはGRUで使われていた偽名ですけどね。それから犯行グループのメンバーにGRUの軍医や、プーチンから勲章を表彰された腕利き工作員、現場で指揮するGRUの幹部とか、そういったプロフィールも割り出しました。

そして、それをすぐ公共放送のＢＢＣ（英国放送協会）などが後追いしましたので、ベリングキャットの情報は事実だったと思います。なぜならＢＢＣが報じる際は、ＭＩ６の裏をとりますから。そうしたルートを持つＢＢＣが後追いしたということは、ベリングキャットの情報が〝当たり〟だったことを裏付けています。当時現場で取材していた印象もそうでしたね。

ベリングキャットはソールズベリー事件以外にも、ロシア反体制派の暗殺未遂事件などでも特ダネを連発しています。それらもイギリスのメディアが確認して世界的ニュースになりました。以前、彼らの背後関係を調べたことがあるんですが、本当に独立して公開情報の分析から真実を突き止める調査報道を行っていました。ＭＩ６の影がまったくなかったわけではないですが。ですから、英国発のニュースは当局からのリークではなく、一定以上の信頼があると思います。

いずれにしても、ソールズベリー事件の背後関係の情報は、民間調査機関のベリングキャットが割り出したもので、ＭＩ６からのリークではないと思います。万が一リークだったとしても、事件を当局が自作自演で起こしたとは思えません。当時のイギリスは、ブレグジットでＥＵとの交渉に日夜追われ、自作自演するほどの余裕はありませんでした。離脱の行方に頭を悩ませ、毎日、瀬戸際外交の連続だったことを覚えています。

馬渕：私も、イギリス政府なり関係者なりがこの事件を自作自演することはないと思います。もし自作自演するとすれば、それはロシア内の反プーチン派ですね。反プーチン派はイギリスにもたくさんいるはずです。

だから、私としては、むしろ反プーチン派がやった事件である可能性をやっぱり否定しきれない。反プーチン派はエリツィン大統領時代からの縁でネオコンと通じている節がありますから。プーチンの評判を落とすために、ネオコンが一枚噛んだかもしれません。あくまでも私の印象にすぎませんが、そういう疑念をまだ抱いています。もちろん、当時から現地で見ていて、現地の詳しい情報をお持ちの岡部さんの見方が的を射ているんじゃないかとは思いますけど。

イギリスに多いのは、プーチン派？　反プーチン派？

岡部：確かに、反プーチン派の跳ね返りがプーチンの評判を落とすためにやった可能性はあると思います。ただ、ノビチョクは限られた人間しか扱えない猛毒の化学兵器です。閉鎖都市で作って、扱う時は医師が必要です。

あと、馬渕大使のおっしゃる通り、ロンドンには反プーチン派がすごく多いです。ロシアからイギリスに亡命して自殺した実業家ボリス・ベレゾフスキーとか金融資本家たちなどです。

ベレゾフスキーは、モスクワに駐在した20世紀の終わりにインタビューしたことがありますが、最後はロシアに帰れないからロンドンで反体制派を指揮して、先ほど名前が出た毒殺された元ＦＳＢのスパイのリトビネンコと最初は、一緒に活動していたようです。私がモスクワにいた頃（１９９６年12月から約３年半、産経新聞モスクワ支局長としてロシアに赴任）、モスクワ郊外のアパートが次々と爆殺され、不審な死に方をする人が数多くいました。いずれもＦＳＢ長官として世に出たプーチンがチェチェンの犯行と宣伝していました。

面白いことにロンドンには、反プーチン派とプーチン派の両方がいるんですよ。昔は反プーチン派でしたが、現在はプーチンに恭順を示すロマン・アブラモヴィッチとか。

馬渕：ああ、あの、チェルシーでサッカークラブやっている……（アブラモヴィッチはプレミアリーグのチェルシーＦＣのオーナー）。

岡部：はい。アブラモヴィッチは、１９９９年に「クレムリンの奥の院」と日本で初めて、その存在が報じられました。他にも、ミハイル・ホドルコフスキー（ロシアの大手石油会社ユコスの元社長。イギリスに事実上亡命中）は、ずっと反プーチンです。

彼がたまに行う記者会見に行きましたが、モスクワ時代以上にプーチン批判がすごかった。

いつ殺されるかわからないから、記者会見もさっさと終わらせ、すぐ引き上げていました。

ソールズベリーの事件に話を戻すと、現場で見た限りでは、組織的に短時間で犯行を企てロシアに帰国している手口をみると、反プーチン派による犯行だとすると、ここまで鮮やかにできないだろうという印象でした。

でも確かに馬渕大使のおっしゃる通り、腑《ふ》に落ちない部分もあります。ロシアの指令で動いている割には〝ショボい〟ところがある気もしました。

ソールズベリー暗殺未遂事件の実行犯が宿泊したホテル ©岡部伸

たとえば犯人たちがロンドン東部の1泊90ポンドのビジネスホテルに泊っていたり、タクシーも使わず、ロンドンのウオータールー駅からソールズベリーまで電車で移動したり……名うてのスマートな工作員の犯行ではありませんでした。高級ホテルや自動車を使うなど、もっと違う形でやれなかったのかな、と思いました。

2006年にリトビネンコが毒殺された時は、ロンドンの中心部メイフェアの5つ星の高級ホテル、ミレニアムホテルが舞台で、彼はそこのバーで緑茶に猛毒の放射性物質「ポロニウム

210」を盛られました。実行犯が宿泊していたホテルもウエスト・エンドの高級ホテルで、犯行現場も、宿泊場所も〝最高のシチュエーション〟だったわけですけど、ソールズベリーの事件の犯人たちが泊まっていたのは、ロンドン東部で、華やかな西部ではないんですよね。

馬渕：ウエスト・エンドは、ロンドンの中心地とされるシティの西側で、商業・文化・娯楽系の施設が多い地域ですよね。

岡部：ソールズベリーの事件では、東部の辺鄙《へんぴ》な安ホテルに泊まって、わざわざ電車で約1時間かけて行っています。「なぜ高級ホテルに泊まらず、現地まで車で行かなかったのか？」と思いました（笑）。

馬渕：普通ならね（笑）。

岡部：そういう意味からすると、少し跳ね返った連中が犯行に及んだのかとも思います。ただノビチョクを扱う鮮やかな手口をみると、やはり国家の指令のもとでしかできないのではと感じました。

日本のインテリジェンス能力を高めるには何をすべきか？

馬渕：イギリスが反プーチン派とプーチン派の両方を受け入れている国だというのは、面白いというか、イギリスの伝統的な両立て主義といったところですよね。やっぱり世界のインテリジェンスの中で生きていくには、それをしなきゃいけない。アメリカだって、ある意味ではそうですよね。両方受け入れている。

岡部：受け入れていますよね。

馬渕：だから、日本のファイブ・アイズ入りに話を戻すと、日本にはその認識がないです。私は日本がファイブ・アイズに入れてもらえるなら、入るべきだと思うし、それで日本の安全保障は格段に上昇するだろうとも思います。

だけど、こういうしたたかな経験を積んできたイギリスと経験の少ない日本が、さっき岡部さんがおっしゃったミドルパワーの自由主義を今後スムーズにマネージしていくには、日本の方も相当変わらないとなかなか難しいんだろうと思うわけです。

岡部：そうですね。おっしゃる通りです。

馬渕：「アイツがこういうことをやった」と表面的なことだけで、単純に物事をとらえるんじゃなくて、その裏の裏の裏ぐらいまで読んでいかなければならない世界ですからね。そういう点も含めて、日本の場合はやっぱりインテリジェンス機関を持つということ自体、ものすごくハードルが高いと思います。だけど、何らかの形でインテリジェンス能力を高めることは必要なんですね。

そのあたり、イギリスとロシアという世界の超優良インテリジェンス国家に勤務された岡部さんとして、何かアイデアはありますか？

日本で今後どういうふうにしてインテリジェンス能力を高めればいいか、具体的に。

岡部：先ほども少し触れましたが、佐藤優さん（作家、元外務省主任分析官）と雑誌で対談した時にお話ししたんですけども、佐藤さんは今の日本の体制でも公開情報の分析、つまりオシントの能力はけっこうな水準になっていっているとおっしゃっていましたね。日本語の公開情報の分析を英語にするだけでもアングロサクソンの国には利益になるレベルだと。

ちなみに、２０１３年に日本版ＮＳＣ（National Security Council：国家安全保障会議。安全保障に関する重要事項を審議するために内閣に置かれた機関）を作った時にモデルにしたのがイギリスのＮＳＣですよ。

馬渕：アメリカじゃなくてイギリスだったんですか？

岡部：ええ、イギリスですよ。それで、あまり知られていないのですが、毎朝ホットラインにより、日英のNSC同士で情報共有しているそうです。２０１７年には外国の首脳として初めてイギリスのメイ首相（当時）がここに入って、中を案内されて調査も行いました。

インテリジェンスは国力に比例するとよく言われます。したがって、日本の国力、先進国としての国力を踏まえれば、成長の余地は十分にあると思います。

すでに現状で日本が持っているインテリジェンス能力だけでもファイブ・アイズ側が有要と思うものもあると思います。

だから、それらを活用しながら、とりあえずは公安調査庁中心の現状の体制で進めていけばいいと思います。そして同時に、環境整備が重要だと思います。日本のファイブ・アイズ入りは特別に議会批准が必要な協定ではないので、当面、協力などできることから始め、仲間になった彼らから専門的なインテリジェンス文化を学び、必要な環境を整えて、ギブ・アンド・テイクで進めた方がいいと思いますね。

自前の情報を得るため必須の対外情報機関の設立は今すぐは厳しいですが、スパイ防止法やセキュリティ・クリアランス（適格性評価）制度などの情報保護体制の整備は、できるところから取り掛かった方がいいかと考えます。

馬渕：なるほど。それはおっしゃる通りですね。

日本は民間レベルにもインテリジェンス・マインドを

岡部：ファイブ・アイズの５カ国の中でも、アメリカとイギリスが群を抜いて、質的にも量的にも優れた機密情報を持っています。ですから、アメリカとニュージーランドが均質に情報共有しているかというと、必ずしもそうではありません。ニュージーランドより日本の方が彼らにとって有用な情報、たとえば北朝鮮や中国、ウイグルの詳しい情報を持っていることもあります。

実際、ロンドンに駐在していた時、ＭＩ６関係者から、「日本が持つウイグルの詳しい情報が欲しいのだが、誰と共有すればいいか？」と質問されたり、バルト三国の外交官からも「日本と機密情報を交換したいんだけど、どうすればよいか？」と聞かれたりしました。

日本には情報機関がなくても、馬渕大使のような優秀な外交官の方たちがもうすでにそういう機能を果たしているわけですよ。イギリスに駐在する諸外国は、日本が大国として相応《ふさわ》しい情報活動を行って、機密情報を得ているると思っているように感じました。

ですから、繰り返しになりますが、今の体制のままでとりあえずできることから始めて、走りながら考えて、いろいろな環境も整備していく形がベストではないかと思います。

馬渕：それは正論ですね。現に日本は、細々だけども私の経験も含めて、情報活動をやっていることはやっているんです。だから、今、岡部さんがおっしゃった中で重要なことは、結局何が必要とされている情報か、どれがインテリジェンスかということをスポットする、その能力なんですよね。

日本の公開情報の分析が優れているという話は私も知らなかったんですが、それはけっこうなことですよ。その一面はよしとしても、公開情報じゃない情報をどう収集するかという点については、日本はまだ平均的な国と比べて遅れていますよね。

岡部：はい。そうですね。

馬渕：それについては情報機関を持てばできるようになるという人がいるんですけど。ところが情報機関というのはそう簡単じゃありません。

もちろん岡部さんはお詳しいでしょうけれど、イギリスのＭＩ６も、アメリカのＣＩＡもそうなんですが、情報機関というのは、時には国家に反旗を翻《ひるがえ》す危険もあるわけですよ。まさに

２０２０年のアメリカ大統領選挙で問題になっていたように。

たとえば戦前の日本を見ても、いろんな機関が本当に政府の統一の意思のもとで動いていたかどうかは大いに疑問ですよね。むしろ動いていなかったからこそ問題だったとすら言えるわけです。

だから、今できることは、確かに器を作ることじゃなくて、まず我々のマインドをインテリジェンス・マインドにするということですね。これは今からでもできるし、外務省だけじゃなくて各省庁、もっといえば民間の各商社などでも取り組んでいった方がいい。まあ、すでに商社マンでもずいぶんインテリジェンス・マインドの高い方はいらっしゃいますけどね。

だから、何が必要な情報なのか、いわゆるインフォメーションじゃなくてインテリジェンスなのかを見極める能力は、訓練すればどんな人でも今すぐ身につけられるはずなので、そういうことをやるのは非常に有要な提言だと思います。

岡部：そうですね。確かに情報機関が〝暴走する〟危険性もあります。だからこそ、省庁、商社のみならず、我々メディアも率先してインテリジェンス・マインドを持ち、オシント、ヒューミント（人を介した諜報活動）などの手法を使って、情報収集や情勢分析を行うべきだと痛感しています。

インテリジェンスにも悪影響を与える日本の縦割りの弊害

馬渕：それから、NSCについてですが、日本のNSCがイギリスをモデルにして作られたというのを僕は初めて聞きました。しかも、それなりに有益な活動をしているというのは、喜ばしいことだと思います。

しかし、どうしても日本の場合、これは官僚組織だけじゃなくて他の組織でもそうでしょうが、〝縦割り〟の弊害がある。だから今もNSCは各省庁の寄り合い所帯であり、寄せ集めなんですよね。これをどう打破するかは、日本の文化の根幹に関わる問題でもあります。私は表面的なことしか知らないけれど、外務省と警察庁がトップの取り合いをやっているような状況では、なかなかできないわけですよ。

それに加えて、私も横からしか見ていないけれども、情報畑というのは、たとえば役所に入って退職するまで30～40年間ひたすら情報収集と分析だけに専念してやり続けるというような人じゃないとなかなか専門家には育たないという問題もあるんですよね。

しかし一方で、先ほども申し上げた通り、歴史を見れば情報機関には諸刃の剣の一面もあって、やっぱりいい時もあれば悪い時もある。最悪の場合、国家に対して反旗を翻すこともあるわけですから、情報機関をどのように、あるいはどこまで政府や議会がコントロールできる体制にするのかも同時に考えていく必要があるというのが悩ましいところじゃないかと思います。

岡部：おっしゃる通りですね。私もそう思います。あと、イギリスと日本でいちばん大きく違うところは、情報機関と、作家の文筆活動まで含めた広義のメディア、そして大学の研究機関、これらの垣根がイギリスの場合はあまりないのです。

２０２０年12月に亡くなった、スパイ小説で有名なジョン・ル・カレ（ＭＩ６に勤務経験のある作家）だって、文筆業に転向してからも諜報の現場によく通じていました。

ジョン・ル・カレ

日本ではあまり馴染みのない方ですが、ル・カレには、ハニー・トラップや二重スパイの生きざまなどを初めて世に出した功績がありました。ＭＩ６公認で、小説を通じて極秘事項を発信しながら、イギリスのインテリジェンスの権威を高めた方だと私は認識しています。

実はイギリスにいた頃にル・カレをインタビューするチャンスがあって秘書から許可を得たのですが、実現する一歩手前で彼の体調が悪化してしまい、私も帰国してしまったので、結局できませんでした。生前にいろいろお話をお伺いしたかったなと悔いを残しています。

馬渕：それは惜しかったですね。ぜひ実現して欲しかった。

岡部：ル・カレや、イアン・フレミング、グレハム・グリーンなどのように情報機関から作家に転身した人たちや諜報の現場を経験してメディアに入って、優れたインテリジェンスの作品を発表しているジャーナリストもおります。

高級紙『ロンドン・タイムズ』で私と同じ論説委員やっているベン・マッキンタイアーは、MI6の「奥の院」に通暁《つうぎょう》しているだけにひと味違います。

東西冷戦時代に核戦争を防いだ伝説のロシア人スパイの勇気と孤独を描いた『KGBの男　冷戦史上最大の二重スパイ』、第二次世界大戦のノルマンディー上陸作戦を成功させた英国のお家芸の二重スパイ養成システムを描いた『英国二重スパイ・システム　ノルマンディー上陸を支えた欺瞞《ぎまん》作戦』、世界を震撼《しんかん》させた英国史上最も悪名高い二重スパイの評伝『キム・フィルビー　かくも親密な裏切り』などベストセラーを次々と世に出しています。

英国立公文書館で、機密文書が公開される際は、一般公開に先駆けてメディアの担当者に数週間早く公開されるのですが、そこで何度か顔を合わせて話したことがありました。

彼の作品は、公開された秘密文書で明らかになった新事実をいち早く活用するとともに、コネクションのあるＭＩ６から独自情報を得てノンフィクションを紡《つむ》いでいます。ＭＩ６に関係していた経歴が著作に役立っています。一方、ＭＩ６も彼を通じて発信することで、愛国心や国の求心力を高めたり、情報活動に対する国民の理解を得たりという目的を達しているように思います。

あと、一度諜報の現場からアカデミズムに行って再び諜報の現場に戻る場合や、インテリジェンスを経験したジャーナリスト、作家からアカデミズムに移るケースもあります。現場経験を生かして諜報をアカデミズムの立場から研究したり、その成果を現場にフィードバックして活かしたりしているわけです。

こういう具合に、イギリスはインテリジェンスに垣根がないんですよ。とりわけ公開された機密文書については、共有財産という概念が強く、諜報機関、ジャーナリズム、アカデミズムの縄張り争いはありません。協力し合いながら、時には一体となって国益のため、真実を追求しようという立場です。それに比べて日本は垣根が多すぎるんじゃないかという気がしますね。

馬渕：おっしゃる通りです。アメリカもある意味そうなんですが、横の流動性があって、それが非常に開かれています。

だけども、日本は先ほど私が申し上げたように縦割りなんですよね。役所だけじゃなくて民間の会社も縦割りです。それをどうやって、横の流動性、人事の流動性を確保できるようにするかという問題は実は大きい。

これは大して根拠もなく申し上げるんですが、日本の場合、情報機関を作るにしても、縦割りの現状からいえば３つぐらいできそうです。つまり、外務省を主体とした情報機関と、警察を主体とした情報機関、それから自衛隊を中心とした情報機関あたりができる可能性があります。これは、私がかつて勤務していたイスラエルがまさにそうなんです。

岡部：なるほど。外務省、警察、自衛隊を母体とする情報機関の３つですね。

馬渕：イスラエルでは外務省も、いわゆる情報機関とまで言えるかどうかわからないような、ママッド（イスラエル政治調査センター）という部署を持っています。それから、軍にはアマン（イスラエル参謀本部諜報局）という情報機関があります。あとは、やはりイスラエルでいちばん有名な情報機関といえばモサド（イスラエル諜報特務庁）ですね。他にも、国内を担当しているシンベト（イスラエル公安庁）というのがあります。

イギリスの場合は対象によってＭＩ６やＭＩ５※という具合に分かれていますね。

アメリカだってＣＩＡだけかというとそうじゃなくて、ＮＳＡ（国家安全保障局。国防総省所属の情報機関）や軍の情報機関もあり、それらを束ねるＮＳＣがあります。

だから、日本もひとつの情報機関だけでやっていくというのはどうしても難しいでしょうね。とりあえずは現状の情報部門をうまく育てていくことぐらいしか思いつきません。

岡部：日本版ＭＩ６、日本版ＭＩ５ですね。

馬渕：自衛隊にもちゃんと情報本部がありますし、しっかりといろいろやっていらっしゃるから、あまり部外者が口を出すのは弊害があるでしょうね。

また、外務省はまさに公開情報を含め、表の機構を相手にして仕事をする役所です。絶対に裏の情報で仕事をしないかというとそうでもないんですが、一応は表の情報で勝負しています。

それから、公安調査庁は、おそらく裏社会まで潜入して、本当に地べたを這うような情報の取り方をすることもあるんでしょうね。

問題は、そういう具合にたとえば３本のルートで上がってきた情報が首相のもとでひとつになるということです。ここが特に重要ですよね。そうすると首相たるものは、各所から上がってきたそれらの情報を最終的にどう判断するかという能力が求められることになります。

※**ＭＩ６**はイギリスの情報機関のひとつであるＳＩＳ（Secret Intelligence Service：秘密情報部）の通称で、外務省に所属し、国外の情報収集・工作を担当。**ＭＩ５**は内務省所属で、国内の治安維持を担当する。他にもＭＩ１～ＭＩ６４などが存在し、暗号解読や地図作成など、それぞれに専門の担当分野がある。

岡部：求められますね。生の情報を総合的に判断する能力です。

馬渕：この場合、情報を上げる3者が勝手に集まって事前に情報を加工してはダメなんです。生の情報のまま首相まで上げてこなくちゃいけない。

岡部：イギリスでいうところの合同情報委員会（ＪＩＣ：Joint Intelligence Committee／内閣に所属し、イギリス国内の各情報機関の元締め的な役割を果たす委員会）のような組織が必要となりますね。その3つを束ねていくために。

馬渕：その通りです。生の情報がそこに集まらないといけないわけですよ。集める前に勝手に調整してはいけない。

だから、その合同委員会に総理も出席して、総理がそこで、外務省情報や警察情報、自衛隊情報などの生の情報を見ながら判断するということですね。ところが日本の首相はそういうことをやったことがないですからね。今の菅総理に限らずですが、日本の首相にはなかなかそれが期待できません。

岡部：難しいでしょうね。しかし、情報を活用することをやって欲しいです。

日本の首相が毎朝30分やるべきこと

馬渕：その話との関連で、私がびっくりしたというか、感心したのは、キューバなんです。すでにお二人とも亡くなられましたが、２００1年、いわゆる9・11（アメリカ同時多発テロ事件）のすぐ後に橋本龍太郎元首相がキューバのフィデル・カストロ国家評議会議長とキューバで会談したことがありました。都合8時間くらい会談していましたね。

その際、直近24時間の世界の情報をまとめた書類の束を、担当官が朝方、カストロさんにポンと渡すわけですよ。カストロさんはそれをパパっと読んだだけだったんですが、私はその様子を見て本当に感心しました。

キューバのような小国でも……と言ったら失礼ですが、アメリカという大国と対立している以上、情報はまさに国家の命です。だからこそ毎日、カストロさんに24時間の世界の動きを官僚がブリーフしている（要点をかいつまんでまとめる）わけです。やはり情報に対する意識が高い。日本では、首相の動静を見ても、そうした話はどこにも出てきません。

だから、日本もそういう基本的なことからまず始めることだってできるんですよ。直近24時間のいろんなメディアのニュースで出た情報や、外務省、警察、自衛隊などが独自に得た情報もまとめて毎朝、総理にブリーフする。それだけでもやっぱり違います。

岡部：確かに違いますね。

――首相にはそうしたブリーフィングの時間があると聞いたことがあるんですが、実際はないのでしょうか？

馬渕：もちろん、一般的には外務次官だとか、今だと国家安全保障局長の北村滋氏だとかが首相に話はしていますよ。でも、それはいわゆる情報ブリーフィングとしてやっているわけじゃないんですね。結局、各省の案件ブリーフィングが多いんでしょう。

岡部：20分なり30分なりで何をブリーフィングするか、取捨選択が重要だと思います。ぜひともマインドのいい人に簡潔にまとめて伝えていただきたいですね。

馬渕：おっしゃる通り、これはまた役所の常で、誰がブリーフィングするかで揉めるんですよ。僕は外務次官がやればいいと思うんだけど、すんなりそこにいくかどうかもわからない。

それよりも問題は、総理自身がブリーフィングの時間をとれるかどうか、言い換えると情報に対する意識が高いかどうかということにかかっています。関心のない総理だと、「めんどくさいから、しなくてもいいよ」なんておっしゃる危険性もあるわけですね。

しかし、たとえばアメリカでも毎朝7時半頃に国家安全保障担当補佐官が大統領に世界情勢をブリーフしています。

日本がファイブ・アイズのメンバーに加わるとしても、これからの激動の世界を生き延びるには、日本の総理たるものの一日はまず情報のブリーフィングから始まるようにしなければいけない。

幸い、菅総理は見たところ朝早起きですからね（笑）。それなら、朝の散歩の時間にでもたった30分間ブリーフするだけでも全然違ってくる。

だから、私としてはそういうことをぜひ提言したいですね。意欲だけあればすぐにでもできることなので、やるべきじゃないかと思います。

岡部：そうですね。それは提言してぜひやっていただきたいですね。そのためには器というか、それをまとめる組織をまず作ってやってもらいたいです。

馬渕：ええ。現状は国家安全保障局の中で各省が権力闘争をやっているようにも見えますからね。そんなことをやっているようではダメなんで、まず朝30分は少なくとも総理に世界情勢のブリーフィングをやる。そういうことの実践から始めたらどうかなと思います。

第3章

近現代史が教えてくれる、北方領土問題の解決法

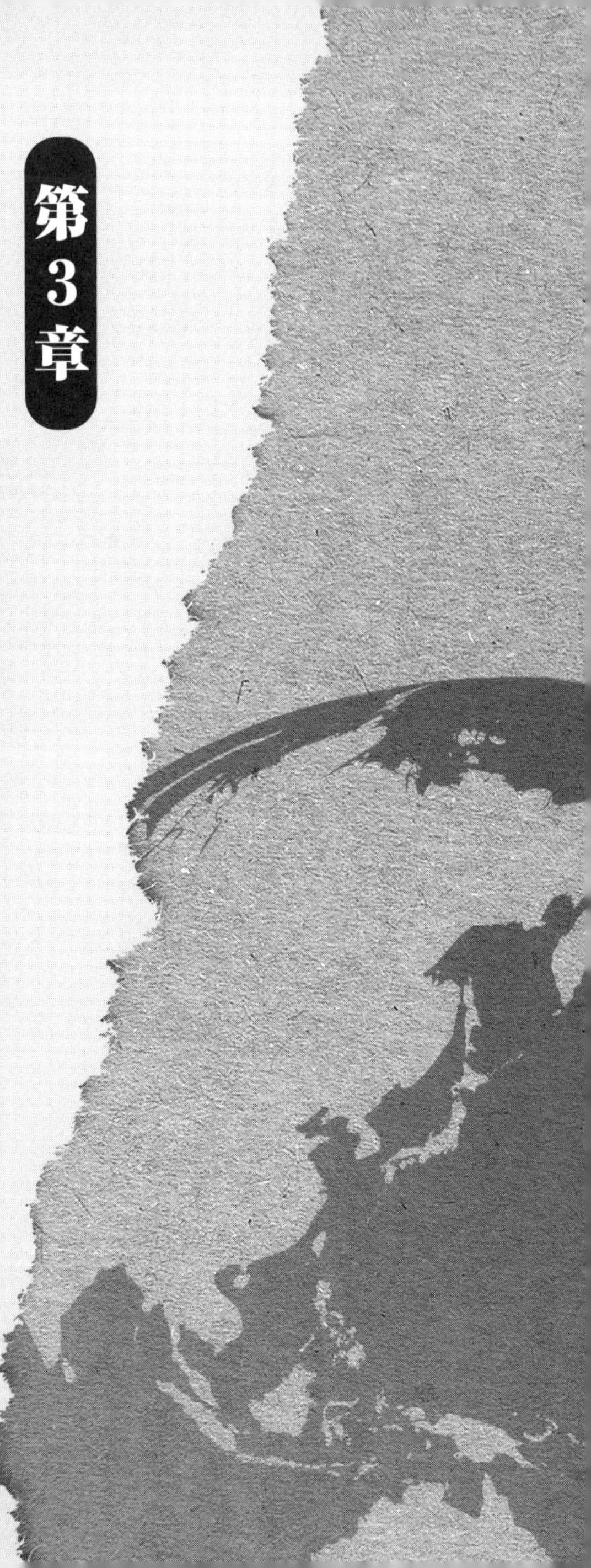

1997年、エリツィン×橋本龍太郎会談の現場では……

——岡部先生は1997年11月1日・2日にクラスノヤルスク（ロシア中部シベリア地方の都市）で行われた橋本龍太郎首相とロシアのボリス・エリツィン大統領の首脳会談を取材されたとのことですが、当時はどのような様子だったのでしょうか？　あの会談では「2000年までに東京宣言に基づいて領土問題を解決し、平和条約を締結することに全力を尽くす」というクラスノヤルスク合意が交わされました。しかし、その後のエリツィン大統領の健康不安と、参院選で惨敗した橋本首相の失脚により、結局、合意内容は実現することなく終わっています。

岡部：当時クラスノヤルスクに行って首脳会談に同席したロシア側のスタッフは、ほとんどが大統領府の職員で、対日政策を担当するロシア外務省からは、エリツィン大統領の通訳を務めた現在、駐日大使を務めるミハイル・ガルージン氏だけでした。エリツィン大統領がエニセイ川の川下りの途中、船上で橋本首相に唐突に、「（日露が両国国境を択捉《えとろふ》島と得撫《ウルップ》島の間と定めた日露通好条約を結んだ）1855年に次いで、今日をクリル（北方領土）問題を解決する日にしよう」などと北方4島返還とも解釈できる提案をしたので、ロシア外務省が驚いていましたね。

　私がモスクワに戻ると、ロシア外務省のある高官から電話で呼び出され、「殿（エリツィン大統領）はご乱心で何を発言したのか」と問い質《ただ》されました。ロシア報道に関わっていますけど、ロシア外務省の高官から呼び出されてヒアリングを受けるなど、後にも先にも、その一回だけですよ。

　裏を返せば、エリツィン大統領の発言は、予測不能の唐突なもので、事務方と事前にすり合わせをせず、急遽、北方領土問題解決への強い意欲を示したと解釈できます。予期せぬ大統領の前向き発言で、ロシア外務省の事務方は驚き、戸惑ったのでしょう。大統領府主導で日本との関係改善が進められ、ロシア外務省は交渉の脇に追いやられていたため、外交の劣勢を挽回《ばんかい》しようと、交流があった「敵国」のメディアの私に探りを入れてきたのでした。

　20年以上経過して考えてみると、当時はロシアの政権内部で主導権争いが表面化して混乱に陥るほど、エリツィン大統領がクラスノヤルスクで領土問題解決へ向けて重要な発言をしたと理解できます。今日、それを生かせていないことが痛恨です。

馬渕：それはなかなか、大変な場面にいましたね。

岡部：その時、高官が最後に発言した言葉が今も忘れられずに覚えています。

「本当にそこまで大統領が解決に意志を示したのなら、我々も肚《はら》をくってやる」と言われました。当時の外務大臣はエフゲニー・プリマコフで、アレクサンドル・パノフが駐日大使でした。そして、その高官が私の目を見ながら続けてこう言ったのです――「そのかわり静かにやらせてくれ」と。それを聞いて私は「日本側のメディアは騒がず、ナショナリズムを騒ぎ立てず、淡々と事実関係に基づいて4島の帰属を決める返還作業を実務的にテクノクラートたちに処理させて欲しい」。そのように主張しているように感じました。

そして「ロシアは、自分たちの主張に正統性がなく、日本側に分《ぶ》があることを理解しているのだな」と思いました。大統領が返還に決断したのなら、実務作業を静かに行うというのは、日本に返還することの法的正当性を実は理解していると思われたからです。

プーチン政権となって、ラブロフ外相らは表面的には、「第二次世界大戦の結果を受け入れるべきだ」と強面《こわもて》で繰り返し主張してきますが、エリツィン時代は少なくとも北方領土の交渉に関わっている実務者は、ロシアの北方4島の領有権に法的有効性がないことをわかっていたと思います。そして、自分たちが国際社会の大国としてきちんと認められたいのなら、いずれは北方4島を日本に返さなければいけないということも……。

でも残念ながら、その後、エリツィン大統領の体調が悪化したり、経済危機が起きたりして、

「やる（領土問題を解決する）」と言っていたモメンタム（勢い）が薄れ、「東京宣言に基づいて2000年までに平和条約を結ぶことに全力を尽くす」という約束も結局反故《ほご》になりました。

そして、プーチンが登場してくるわけです。

橋本龍太郎（首相官邸HPより）

ボリス・エリツィン

確かエリツィン政権の最末期の1999年11月か12月だったと思います。政権の知恵袋だったエリツィン大統領の補佐官にインタビューが取れたので、クレムリンを訪問しました。すると、この補佐官が、「クラスノヤルスク合意は成就しなかったが、新たな解決策を検討している」と言って、北方領土問題の解決策として「1956年の日ソ共同宣言（平和条約締結後に、ソ連は日本に歯舞《はぼまい》群島と色丹《しこたん》島を引き渡すと明記されたもの）を使えないか検討している」と答えたんですね。だから当時、私は、「56年宣言で北方領土問題解決探るロシア大統領補佐官」と国際面で報じた記憶があります。

この「56年宣言」を基礎に「2プラス2」の解決のアプローチが、現在とられているのはご承知の通りです。2018年

11月、シンガポールで安倍晋三前首相とプーチン大統領は、日ソ共同宣言を基礎に領土問題を含む日露平和条約交渉を加速させることで合意しています。

「2プラス2」の解決策は、ロシア側が1999年から検討していたものです。ロシア側も北方領土問題を解決して対日関係を正常化させる意志があったことがここからもわかります。

馬渕：ロシアは領土というものにものすごく執着すると言われていますけど、必ずしもそうじゃないんですよ。

岡部：そうなんですね。あともうひとつ、エドゥアルド・シュワルナゼ（1995年から2003年までグルジア〈現ジョージア〉大統領を務めた政治家）がソ連の外務大臣だった時（1985〜1990）の補佐官からも当時の舞台裏を聞いて、それを実名入りで報じました。

エドゥアルド・シェワルナゼ

その補佐官というのが、セルゲイ・タラセンコという元キャリア外交官です。優秀だったから外務大臣の秘書官になって、ずっとペレストロイカ（「建て直し」を意味するロシア語。1980年代後半からソ連で行われた政治改革の総称）の新志向外交を主導した人なんですが、彼の話で印象的だったのは、日本との北方領土問題を片づけることが、自分たちのタイムスケジュールに入っていたそうなのです。

東西ドイツの統一、つまりソ連から東ドイツの返還が成った後、日本とのクリル（北方領土）の問題も片づけて、２つの懸案をクリアすることによって、いわゆる「欧州共通の家」[※]に入るつもりだったと。どこまで本気だったのかはわかりませんが、「日本との関係正常化のため、障害となる領土問題の解決、つまり北方４島を返還する考えがクレムリンで主流だった」と、言葉の上では、はっきりそう言ってくれましたね。

その後、ソ連が崩壊して、グルジア（現ジョージア）の初代大統領になったシェワルナゼが訪日することになり、首都のトビリシまでインタビューに行ったんです。その時に「日本の領土問題を片付ける気はあったのですか？」と聞いたら、否定しなかったです。

もちろん彼は立場上、補佐官のタラセンコのように踏み込んだ言い方はできないわけですけど、「クリル（北方４島）が（グルジェ沿岸の）黒海にあったら返せますよ」と言って、笑いながら否定はしなかった。

※欧州共通の家構想：１９８７年にソ連の最高指導者、ミハイル・ゴルバチョフ書記長がヨーロッパの新政治秩序、平和安全システムとして打出した構想。ゴルバチョフは、すべてのヨーロッパの国々が政治的・経済的・軍事的な分断状態を乗り越え、統一されたひとつの共同体（共通の家）をヨーロッパに作るべきだと主張した。

北方領土返還のチャンスは、実は何度もあった⁉

馬渕：私も常々言っているんですが、ロシア人にとって最重要なのは〝ロシア国家の安全保障〟です。もし北方領土を返すことで国家の安全保障にとってプラスになるのであればOKなんですよ。だから、安倍総理は「ロシアにプラスになりますよ」とかなり説得されたはずで、プーチン大統領もそれはわかっています。

ロシア外務省だって自分たちに分がないことはわかっているはずです。というのも、1951年のサンフランシスコ平和条約※で、日本は千島列島の主権を放棄すると言っただけで、ソ連に渡すとは一言も言っていないわけです。

では誰が領有するか。それを決めるのが平和条約交渉なのであってね。ソ連が戦後のどさくさで勝手に北方領土に入って居座り続けているだけで、今に至るまで島の帰属は決まっていない。

だから今、ロシアのセルゲイ・ラブロフ外相が「大戦の結果、北方4島はロシア領になったことを認めなければいけない」なんて言っているのには、「国際法の視点から北方4島の帰属は決定していない」とやり返せばいいんですよ。ロシア人は強くやり返したら交渉に乗ってくるから。でも、実際のところ外務省がどれだけちゃんとロシア側に反論しているのか、まったく不明です。

――外務省が頼りない感じなのですか？

馬渕：頼りないというか……僕も自分の古巣の悪口を言いたくはないけども、横やりが入りますからね。

安倍さんが北方領土について、最初におやりになったアプローチは正しかったのだけども、なにせアメリカはオバマ大統領の時代でしたから。おそらくアメリカは外務省を通じてちょっかいを出してきて、その意味では結果的に外務省が、安倍さんの足を引っ張ったと推測しますね。

プーチンはエリツィンと同じかそれ以上に、北方領土問題を解決しなきゃならんと思っているはずだけど、残念ながら今は、国内問題でがんじがらめですね。国内のユダヤ勢力が相当プーチンに対する圧力を強めているから。

そういう意味では、ソ連崩壊の時に一緒に北方領土も片付ければよかったんですよ。今言っ

※サンフランシスコ平和条約の第２条（c）には「日本国は、千島列島並びに日本国が千九百五年九月五日のポーツマス条約の結果として主権を獲得した樺太《からふと》の一部及びこれに近接する諸島に対するすべての権利、権原及び請求権を放棄する」とある。

ても仕方ないことだけども。
岡部：この1997年から2001年までが解決のチャンスでしたが、作家の佐藤優さんが話すには、最大の契機は、それ以前のソ連崩壊直後にあったそうです。1992年3月、ゴルバチョフ時代にアンドレイ・コズイレフ外相が訪日して、当時の渡辺美智雄外相に行ったクナーゼ提案です。当時の日本としては、あの「2島＋2島」のプランは、呑めなかったのですかね？
馬渕：そこが僕は不思議でしょうがない。なぜあの時、決めてしまわなかったのか。
岡部：クナーゼの提案は2島返還後も継続交渉でしたからね。まず歯舞・色丹の2島を交渉の末に法的に引き渡す協定を締結して、それから残りの国後《くなしり》・択捉の2島も返還に向けて交渉する。そして最後に4島問題を解決（返還）して平和条約を結ぶという内容でした。
　同じ2プラス2でも、歯舞、色丹の2島の返還が決まっても平和条約を結ばない。中間的な協定を結んで継続交渉して4島返還が確定して初めて平和条約を結ぶということなので、歯舞・色丹返還で平和条約を結ぼうという現在の2プラス2より遥かに日本に有利な内容でした。でも日本は4島一括返還にこだわって平和条約を結びませんでした。
馬渕：僕の見立てでは、それもアメリカの横やりですよ。エリツィンの時はね、元ロシア大使の丹波實さんの回顧録（『わが外交人生』中央公論新社、2011年）に出てきますけど、橋本首相と首脳会談で決まりかけた時に、横からこうやって引っ張ったんです。お付きの高官が。

岡部：当時大統領報道官だったセルゲイ・ヤストルジェムスキーですね。クラスノヤルスク会談のみならず、川奈会談（1998年4月19日、静岡県伊東市の川奈ホテルで行われた橋本龍太郎首相とエリツィン大統領による首脳会談）の時もそうでした。

川奈提案では、択捉と得撫の間に国境線を引いて施政権を確保して、実際の返還は次世代で、という内容で、エリツィンが持論の5段階解決論で「次世代解決」に合致するため、「興味深い提案だ」とつぶやきました。「それでいい」と言おうとしているところに、「殿、持ち帰って検討しないといけません」と耳打ちして袖を引っ張って止めました。

ロシアは最終的にこの川奈提案を拒否しましたから、私も丹波さんら会談に臨んだ外交官たちは、体を張ってヤストルジェムスキーの妨害を止めて、首脳同士に決着させるべきだったと思います。

クラスノヤルスク会談も同じです。エリツィン大統領が、最大の懸案の北方領土問題解決への強い意志を示しましたが、船上会談に同席したヤストルジェムスキー大統領報道官と大統領府職員に押し切られ、「2000年までに東京宣言に基づいて、平和条約を締結することに全力を尽くす」という文言《もんごん》に代わってしまいました。ストレートに「北方領土問題を解決する」

との言葉を首脳間の合意として世に出していれば、もう少し違った結果になっていたのではないかと思います。

馬渕：向こうの高官が割って入っているのだから、日本側も負けじと割って入るとか何とかしてね。二人だけにさせて、首脳同士で言質《げんち》を取ってしまえばよかったものを……。

まあしかし、エリツィンの時も、プーチンの時もそうだと思うけど、日露関係を進めようとすると待ったがかかるのは、やはり日露の接近を快く思わない連中がいるわけです。はっきり言うと、アメリカのディープ・ステートと中国共産党なんですけどね。

やはりこの2つはいまだに日本の足を引っ張っている。だから北方領土問題が進みそうになると鈴木宗男事件※が起こったりするわけでね。

今はそれがロシアの方に工作の手を向けているのかな。だからロシアの態度が、プーチンというよりもラブロフ外相以下の態度が硬化している。

だからもう、北方領土問題は下からの積み上げでは無理で、「首脳同士で決めたからこうやれ」と下に降ろすという方法しかない。それは、安倍さんとプーチンの間では、2018年のシンガポールにおける会議で、1956年の日ソ共同宣言をベースに交渉を加速させると決め直した時に実現しかけて、外務省もこれで進める、という話になっていたのですけどね。

北方領土問題の〝陰の主役〟はアメリカ⁉

――北方領土を返還すると米軍が基地を置くからロシアは反対している、という話に関しては、いかがでしょうか？

馬渕：それはアメリカのディープ・ステートの意向に沿った意見ですね。ロシアが本当に米軍基地を恐れているのなら、北方領土に米軍は展開させないと一筆書いて保証すればいいんですよ。それで歯舞・色丹の2島を返還してもらえば漁場が安定します。

その上で、残り2島はノービザにして、国後と択捉に旧島民が住めるようにしておく。そうやって〝実〟を取った上で、どっちの国の領土だっていうのは50年後に決めればいい。そんなふうに、「あえて決めない」っていう手もあるんです。

あえて決めなければロシアの施政権下にはなるけれども、あと50年経ったらロシア人自体が極東から消えている可能性もありますからね。そういう発想は官僚には無理だから、政治サイ

※**鈴木宗男事件**：2002年、ソ連崩壊にともなう混乱で生活環境が悪化した北方4島在住のロシア人に対する日本政府の人道支援事業に関連して、鈴木宗男衆院議員が北海道の地元業者から賄賂を受け取った容疑で逮捕・起訴された事件。鈴木議員は一貫して無罪を主張した。

ドが肚を決めてやればいい。
その意味で私は、安倍・トランプ体制があのまま続いていれば、北方領土交渉も動き出すと思っていたんですがね……。

岡部：1956年宣言（日ソ共同宣言）が出される前年の6月、ロンドンのケンジントンパレスガーデンにあるソ連大使館を舞台に、日ソ国交回復交渉の予備交渉が行われました。当時鳩山一郎政権で日ソ交渉の全権代表を務めていたのは、元外交官の衆議院議員・松本俊一氏です。彼に託された仕事は、在ソ抑留邦人の帰還、漁業問題など様々だったと思いますが、最大の課題は戦争状態の終結と国交回復、とりわけ北方領土問題の解決でした。

このロンドン予備交渉に関わった元外交官から直接聞いた話では、重光葵外相から松本全権代表への訓令は、①国後・択捉・歯舞・色丹の4島返還、②4島返還が困難である場合、歯舞・色丹の2島返還、でした。

松本全権代表とソ連側の全権代表ヤコフ・マリク（当時ソ連の駐イギリス大使。元駐日大使）は、正式の平和条約締結によって日ソ間の国交正常化を図るという「正攻法」をとることで合意しました。

そして6月3日に始まった交渉の当初、松本全権代表は4島返還を主張していましたが、ソ連大使館内にあったブランコで松本全権代表とマリクが8月初めに歯舞・色丹の引き渡しにソ連が譲歩して、2島返還で折り合おうとしたそうです。訓令②で、4島が困難の場合、2島返還を目指せとあったからです。証言した元外交官によりますと、いったん2島返還で合意に達した夜、交渉団の宿舎だったメイフェア地区パークレーンにあるグロブナーハウスで大宴会を開いて祝杯をあげたそうです。

ところが、8月下旬に東京の重光外相から、「ダメだ。4島でやれ」と指示があり、2島返還で決着しようとしたソ連側が態度を硬化させて、二度と交わることがありませんでした。

翌1956年10月にモスクワで2島返還の「共同宣言」を締結しようとした日本に対し、当時アメリカの国務長官だったジョン・フォスター・ダレス（1888〜1959）が、同年8月、「2島返還を受諾するなら、沖縄は返還しない」と圧力をかけたことは有名です。いわゆる「ダレスの恫喝《どうかつ》」です。

ちなみに、ロンドンで1955年8月に行われた予備交渉でも、同様にダレスから日本側に圧力をかけた可能性があります。外務省が2019年12月公開した外交文書により、1955年8月29日、ワシントンで行われた日米外相会談でダレスが4島返還を主張し、日ソが2島返還で決着して接近することにクギを刺していたことが判明したためです。重光からロンドンの代表団に、「2島ではなく4島で」と指示があった背景にダレスの圧力があった可能性が高いようです。つまりダレスの恫喝は二度もあったということです。

となると、冷戦時代、北方領土問題の〝陰の主役〟はアメリカということになります。

馬渕：日本が敗戦国だったという当時の状況から、日ソ交渉はやはり厳しかったろうと思いますね。でも今考えたら、とにかく2島で合意して、後は流れに任せておけば、ロシアも変わるわけですよ。あれからもう70年近いわけでしょう。100年待つくらい世界史においてはどうってことないのですから。

もともと樺太・千島交換条約※という正当な条約がありましたよね。サンフランシスコ会議の時に日本が千島列島を放棄しちゃったから根拠がなくなったんですが、そのうち「千島もどうぞ」と言い出しかねない。それくらいロシアは今、中国に追い詰められているのですね。

とにかく、今の国際情勢においては、2島返還でロシアと平和条約を結べば、日露関係が名実ともに正常化し、プーチンも天皇陛下に拝謁《はいえつ》できるわけですよ。そして、そういう日露関係を作り中国を挟み込む。

これはトランプ大統領の考えとも一致していたわけだから、安倍さんが首相時代にプーチンと手を握ればよかったんです。サウナに入りながらでも屋形船で食事しながらでも何でもいいから、もう二人で決めちゃって、あわよくばトランプさんも立ち会わせてね。大きなチャンスを逃してしまったのが残念です。

岡部：領土交渉というのはトップ同士の首脳外交のトップダウンでやらないとダメですよね。つくづく思います。

馬渕：やはりトップ同士で北方領土問題解決の骨格を決めないと。その後で平和条約の具体的案文を両外務省の官僚に詰めさせればいいんであってね。それが本来の順番なのです。

官僚が「政治家に任せるわけにいかん」と思うのは、よくいえばプライドだけど、〝官僚道〟のあり方としては間違っています。官僚は、意見は述べても、最終決断は政治に任せるべきです。

※**樺太・千島交換条約**：１８７５年、日本（明治政府）とロシア帝国が国境を決めるために結んだ条約。日本は樺太（サハリン）を放棄してロシア領にするかわりに、それまでロシア領だった千島列島（千島列島最北のシュムシュ島からウルップ島までの18島）を譲り受けた。その後、日露戦争後のポーツマス条約（１９０５年）で日本は南樺太（樺太の北緯50度以南の部分）を獲得したが、１９５１年のサンフランシスコ平和条約により、ポーツマス条約で獲得した樺太の一部と千島列島に対するすべての権利、権原および請求権を放棄した。ソ連（ロシア）に対して日本が返還を要求してきた北方４島はそもそも千島列島の中に含まれないというのが日本の立場。また、日本は、ソ連（ロシア）がサンフランシスコ平和条約に署名していないことから、同条約上の権利を主張することはできないとしている。

そして、国のリーダーたる政治家は国民の前で、メディアの前で、野党の前で、「自分の責任において決めた」と堂々と言えばいいのです。

第二次世界大戦・歴史修正のポイント
――ヤルタ協定の無効性

岡部：日露の北方領土問題を紐解くと、エリツィン前大統領が1993年10月に来日し、「東京宣言」で、北方4島の帰属が両国間で問題になっていることを認め、これを歴史的・法的事実、法と正義の原則に基づいて解決する用意を表明しました。プーチン大統領も2001年3月、森喜朗首相との「イルクーツク声明」でこれを再確認しています。

ところが、小泉純一郎内閣が4島の即時一括返還要求を前面に出したため、2001年以降、原油価格の急騰でGDPを約6倍にもして力を回復したロシアは融和姿勢を後退させ、2004年に就任したラブロフ外相はそれまでの経緯を無視し、「北方4島は戦争末期、アメリカ、イギリスとのヤルタ会談の結果、ソ連・ロシアのものになった」と語り、冷戦時代の立場に戻りました。以降、一貫としてロシアはヤルタ協定※を北方領土・領有権の根拠として、「第二次世界大戦の結果を受け入れろ」と主張しています。

そしてロシアは、あげくに憲法改正して領土の割譲を禁止してしまいました。

事実上、デッドロック（行き詰まり）に陥った北方領土問題をどう打開するべきか。

日本がやるべきことは、原点に立ち直って「ヤルタ協定」を根拠とするロシア側の４島領有の主張を崩すことではないでしょうか。つまり、「ヤルタ協定だけでは国境は画定しないし、そもそも米国がヤルタ協定の有効性を認めず、北方４島をロシア領と認めていない」ことを世界に発信することはどうでしょうか。ロシアの領土ではないのだから、憲法にも抵触しません。

これに関して、日本外務省は２００６年２月８日、ヤルタ協定について、衆議院で鈴木宗男議員の質問への答弁書で「当時の連合国の首脳間で戦後の処理方針を述べたもので、領土問題の最終処理を決定したものではなく、当事国として参加していない日本は拘束されない」との立場を明確にしています。

※ヤルタ協定：１９４５年2月にヤルタ（クリミア半島の保養地）で開かれた米・英・ソの首脳会談（ヤルタ会談）でルーズベルト、チャーチル、スターリンが取り決めた協定。国際連合の設立、ドイツの戦後処理などのほか、秘密条項として、南樺太および千島列島のソ連帰属などを条件とするソ連の対日参戦が決定された。翌１９４６年2月11日にアメリカ国務省が発表するまで協定の全貌は秘密にされていた。

ヤルタ会談に臨むイギリスのチャーチル首相、アメリカのルーズベルト大統領、ソ連のスターリン書記長（前列左から）

ロシアとの交渉で、なぜ外務当局は、この立場をはっきりと伝えないのでしょうか。論争すべきだと思います。なぜなら、アメリカもこの日本の立場を支援して、1953年と1956年にソ連の領有の法的根拠を認めない姿勢を示している[※1]からです。

また、先の鈴木宗男議員への答弁書で、外務省は、「米国政府は、ご指摘の『ヤルタ協定』について、単にその当事国の当時の首脳者が共通の目標を陳述した文書にすぎないものであり、その当事国による何らの最終的決定をなすものでなく、また、領土移転のいかなる法律的効果を持つものでないという見解を表明している」としています。

アメリカも、ソ連・ロシアの北方4島領有の法的有効性を認めていないことを、外務省は、なぜロシアに主張しないのでしょうか。

そうすると三国のうち、もうひとつの当事国のイギリスはどうなのかということになります。

ソ連参戦の極東密約がチャーチルの頭越しに米ソ主導で結ばれ、冷戦時代に欧州で対峙《たいじ》していたソ連に配慮して、イギリスは立場を公表してきませんでした。

しかし、英国立公文書館から取得した秘密文書では、署名したチャーチルはじめイギリス政府は、当初からヤルタ密約の法的有効性に疑念を抱いていたことは明らかです。もし、イギリスがアメリカのようにきちんと公式に「無効」と明言すれば、大きいはずです。

このことを裏付けるように、日本外務省は、イギリスの立場について、やはり2006年2月8日の鈴木宗男議員の質問への国会答弁書で、「日本の立場を否定しない」と述べているのですね。[※2]

つまり、日本政府は、公表はできないが、イギリスは日本の立場（ヤルタ密約に拘束されない。4島領有に法的有効性がない）を支持していることになります。

※1：アメリカでは1953年に就任した共和党のアイゼンハワー大統領が年頭教書演説で、「あらゆる秘密協定を破棄する」と宣言。1956年には、アイゼンハワー政権が「ヤルタ協定はルーズベルト個人の文書であり、米政府の公式文書でなく無効」との国務省声明を発表し、ソ連の領土占有に法的根拠がないとの立場を鮮明にした。

※2：鈴木宗男議員による質問主意書の「現時点において英国は、ヤルタ協定の日本に対する拘束力を持たないという立場に立っているか。立っているとすれば、それは日英間のどのような合意によって担保されているるか」に対して、外務省は答弁書で、「英国政府の見解は、英国政府との関係もあり、お答えを差し控えたいが、右に述べた我が国の認識を否定するものではない」とした。

ロンドン支局長時代に元駐英大使を務めた林景一前最高裁判事に尋ねると、「サッチャー政権時代に英国は日本の立場を支持するとの回答を得ている」と述べており、日本の立場を否定していないことで一致しています。

ちなみに、この答弁書で外務省は「ソ連邦政府は、ご指摘の『ヤルタ協定』により、『択捉島、国後島、色丹島及び歯舞群島を含むクリル諸島のソ連邦への引き渡しの法的確認が得られた』との立場をとっていた」と、ソ連とその後継国家であるロシアがヤルタ協定を4島の領有の法的根拠としていると説明しています。

北方領土問題が進まないのはユダヤ勢力の影響

岡部：2019年9月の欧州議会で興味深かったのは、第二次世界大戦の見直しが提唱されたことです。これまでのようにナチスドイツだけを糾弾するだけじゃなく、ソ連の共産主義者たちが当時やったことも、戦争犯罪であり侵略行為にあたる、と認定したことです。

スターリンの侵略、戦争犯罪によって欧州が分断され、その後のバルトやポーランドへ人権侵害したスターリニズムについても調査して糾弾せねばならぬ、と声を上げ始めたことの意味は少なくないでしょう。

馬渕：昨年の欧州議会の決議ですね。でもね、イギリスはスターリンの犯罪を追及してゆくと、結局自分たちにブーメランとして返ってくるのですよ。つまりチャーチルとルーズベルトの戦争犯罪に。だからどこまでやれるか、興味あるところです。

しかしさらにいえば、ルーズベルトのアメリカも、チャーチルのイギリスも、ある意味被害者だったのです。二人ともシティとかウォール街の連中に回りを包囲されていたわけですからね。はっきり言いますけど、ユダヤ勢力に操られていたんですよ。

チャーチルはシティのビクター・ロスチャイルドやウォール街の投資家バーナード・バルークに弱みを握られていたでしょう？　借金もあってね。

バーナード・バルーク

アメリカに行ったら大統領に会う前に先ずバルークに面会したと言われるぐらいで。

ルーズベルトはもちろん、取り巻きがほぼ全員共産主義者でユダヤ人でしたしね。

だからルーズベルトとチャーチルの戦争指導の背後にユダヤ勢力がいたことを明らかにするのが、いわゆる昨今の歴史修正主義のポイントで、歴史修正主義とは何かっていったら、ユダヤ勢力が書いた世界史を糺《ただ》すということなんですよ。

アメリカ国民の多くにとって今もフランクリン・ルーズベルトが最も偉大な大統領であるがごとく、イギリスにとっては、チャーチルがそういう存在です。実はこの二人がやったことはまったく間違ってるんですが、偉大な指導者という神話ができ上がっていますからね。果たしてボリス・ジョンソンがどこまでそれを壊すことをやれるのか？

本当は日本こそ、そういう議論をすべきなんです。知識人というか、政治家も含めてね。公にはまだ無理だとしても、内々の議論はやるべきです。

北方領土交渉が進まないのも、結局はユダヤ勢力との問題なんですよ。

プーチンが北方領土を解決して日本の援助がワッときて、プーチン・ロシアが繁栄するのを快く思わない勢力がいるということです。

アメリカもロシアも国内問題はユダヤ問題なんです。イギリスはそれをよくわかっている。だけど言えない。ドイツなんかはもちろん一切言えない。ユダヤ人がどうとか言ったら即犯罪ですからね。

だからそういう意味でも我が国こそ、彼らが書いた歴史を一つひとつ糺していくべきなんです。そうしたら本当に世界が変わります。

「超大国」ソ連は単なるハリボテだった⁉

馬渕：私は北方領土交渉には直接関わっていないし、ロシアスクールでもなくて英語研修組です。たまたまソ連時代のモスクワに勤務しただけですけど、１９７９年夏から１９８１年秋まで住んでみたら、ソ連が超大国でないのはすぐわかりました。

結局のところ、ソ連は東西冷戦を仕組んだ勢力によって超大国に仕立てられ、アメリカと対峙させられたというわけです。

岡部：私もロシアに住んで〝ハリボテ〟であることがすぐわかりました。馬渕大使がいちばんはっきりそれを感じたのは、何の時でしたか？

馬渕：キューバ危機です。ケネディが本当に拳を振り上げたらニキータ・フルシチョフ（スターリン死後のソ連の最高指導者。１８９４～１９７１）が尻をまくって逃げちゃった、というのがキューバ危機の真相ですね。

ケネディ大統領は、ソ連がアメリカ向けミサイル基地を建設したキューバを海上封鎖しましたが、ミサイルを積んだソ連艦船は海上封鎖を突破することはせずに引き返しました。ソ連が〝ハリボテ〟だということを白日のもとにさらしたのです。だから、ケネディは東西冷戦を仕組んだ勢力に暗殺されたとも言えます。

実はそのことを、ソ連の外務大臣を1957年以降28年間の長きにわたり務めたアンドレイ・グロムイコ（1909～1989）が書き残しているんです（『グロムイコ回想録―ソ連外交秘史』読売新聞社、1989年）。

アンドレイ・グロムイコ ©アフロ

キューバ危機後、ソ連との関係改善を考えていたケネディは、グロムイコに対し、「米ソ関係改善を望まない勢力」としてユダヤ・ロビーを挙げたそうです。ケネディ暗殺の報に接したグロムイコは、回顧録の中で「理由は不明だが、この時の会話が思い出された」と暗にユダヤ・ロビーが暗殺したことを仄《ほの》めかしています。

私がグロムイコの回顧録を読んだのは外務省勤務が終わってからですが、ソ連が〝ハリボテ〟だという印象が確信に変わりました。

そうやって仕立てられた東西冷戦という〝擬制の世界支配体制〟が、そのまま今日まで続いているわけです。だから、北方領土問題も彼ら勢力にとっては、日露が仲良くなるのを防ぐための道具なのですね。

産経新聞も含めて4島返還で世論が固まっていますから、反発を受けるかもしれませんが、北方領土問題は歯舞色丹2島で決着していいと思います。いいというか、そもそも日ソ共同宣言には2島でしか書いていませんからね。だから、まずはそれで平和条約を結んで、何年後かに国際情勢の変化の結果、ロシアが「国後・択捉も全部返す」って言ってくるのを待てばいいわけです。ロシアはいずれ存亡の危機に直面する可能性がありますからね。彼らは広大なシベリアを守るだけで手一杯で、ちょっとでも隙を見せたら中国が入ってきてしまいます。それに、人口も減っている。プラス高齢化ですしね。

プーチンにとってロシアという国家をいかに守るかで本当に眠れない夜が続いているはずですよ。かといって欧米と組んだらまたユダヤ資本がくっついてくるし、そう考えると日本しかないわけですよ。プーチンとロシアが頼る先は。

まことしやかにささやかれるプーチンの噂とは？

岡部：プーチンが出てきた頃、ロシアにいました（1996年〜2000年まで産経新聞モスクワ支局長)。彼は当時から「灰色の枢機卿」と言われました(笑)。KGBの長官で、サンクトペテルブルグからきていたものですからね。

エリツィンが後継者を探していたのです。エリツィン政権の第一副首相だったボリス・ネムツォフは最初の候補で、他に何人も候補になりましたが、結局最後に残ったのがプーチンでした(ネムツォフはその後、反プーチン政権派の野党指導者となるが2015年に暗殺)。

なぜ、最終的に彼に決めたかというと、当時、クレムリン周辺でささやかれたのが、エリツィンの次女のタチアナ・ユマシェワらエリツィン・ファミリーがプーチンの弱みを握ったという話でした。何だと思います?

馬渕:さあ、何ですか。

岡部:当時まことしやかに言われたのが、「プーチンはゲイだ」という噂です。エリツィン家がその証拠写真を握ったというのですよ。

なぜ、それがプーチンを後継者にする決め手になるかというと、ロシアでは権力者は退任して絶対権力を失うと、寝首をかかれるんです。韓国などのように。革命か暗殺か。平和裏に権力移譲されることが少ないからです。

だからこれは、半分事実だと思っています。あれだけ用意周到なエリツィン家が、すっぱりプーチンに譲ったのは、相当な〝弱み〟を握ったと思われます。裏切ったら、この写真出すぞ、と言って後継者にしたのだと思います（笑）。

何しろ、ロシア語で不都合な情報を意味する「コンプロマット」（中傷情報）と呼ばれる攻撃は、旧ソ連で政敵やジャーナリスト、高級官僚らを追い落とす手法として繰り返し利用されてきたためです。

情報の主流は男女の情事で、KGB（ソ連国家保安委員会：ソ連の情報機関・秘密警察）は本物か捏造《ねつぞう》かを問わずにスキャンダルを探すのが日常でした。

KGBの後継のFSB（連邦保安庁）長官だったプーチン自身、1999年3月、当時のエリツィン大統領と対立し、エリツィン家と側近の汚職捜査に乗り出したユーリ・スクラトフ検事総長とみられる男性が、サウナで裸になって女性と戯《たわむ》れるビデオ映像を撮影してロシア内外のテレビ局に持ち込んで放映し、失脚させています。

最高権力者だったエリツィンが、情報機関を総動員してプーチンの恥部を探し出すことは、いとも簡単だったと思います。

馬渕：なるほど。ありうる話かもしれませんね。まあこの手の話は人の興味を引くだけに、すぐ尾ひれがついて独り歩きする側面もあるので、岡部さんのおっしゃった通り、話半分くらいが真実に近いのかもしれませんね。

プーチンについてもうひとつ関心があるのは、ユダヤ系のドミートリー・メドベージェフを首相に連れてきたことです。ロシア内のユダヤ・ロビーに対する一種の保険かもしれませんね。これも話半分ですが、メドベージェフもゲイとの噂もありますが（笑）。

岡部：他のプーチン像としては、新体操のアリーナ・カバエワ（アテネ五輪新体操個人総合で金メダル。世界的に活躍した新体操選手）がプーチンの恋人で、子どもができたから糟糠《そうこう》の妻と離婚したと言われています。

馬渕：そうですか。

岡部：二人の関係は公然の秘密だったようです。10年間ぐらい。カバエワは旦那さんがおりません。しかし、いずれにしても20年間も権力を持ち続けるっていうのは、すごいですよね。

絶対的な独裁者が好まれるロシア人の国民性

――2020年7月のロシア憲法改正でプーチンが事実上の終身大統領になった件については、どう分析されますか。

岡部：本人よりも取り巻き連中の方が望んだようです。今のロシアはプーチン体制が強固でまとまっているからこそ、軍産複合体にしろ、情報機関にしろ、金融資本家にしろ、財閥にしろ、プーチン大統領の独裁的な体制を維持することで利権を享受できる面があります。

むしろその体制を変えると、新たな勢力争いが起きかねません。だから現状維持が望ましい。それであらゆる勢力を沈静化させておくことができます。むろんプーチン自身も続投できればそれに越したことはないわけです。

今度の改正で12年間は安泰となりますから、プーチンとしてはその間にじっくり時間をかけて、弱みを握らなくても寝首をかきにこない後継者を作るつもりじゃないですかね。

馬渕：私は独立後のウクライナに勤務した経験があるからわかりますけど、ウクライナを含めて、共産主義体制を経験した国では、野党の政治的保障がないわけですよ。ということは、権力を握らないとダメなんです。権力を失ったらもう命がない。

そういう意味では、我々が慣れ親しんでいる民主主義国家とは政治法則が違うのです。ウクライナもロシアも、我々が思っている民主主義国家にはならないし、なれない。民主国家になると、いろんな人がいろんなことを言いすぎて、国はまとまらないでしょう？

我々は自分たちの価値観で、強権政治的な体制じゃない方が良いと当たり前のように言いますが、ロシア人の目からしたら、必ずしもそうじゃないのです。プーチンみたいな強い人がいてくれるから自分たちは安心できるんだ、と思っている。

岡部：そう、まさにそうです！　ツァーリ（絶対君主）、強い独裁者を好む国民性です。

イワン雷帝（イワン4世：初めて「ツァーリ」の称号を公式に用いたロシア皇帝。恐怖政治で大貴族の力を抑え、領土を拡大した。1530〜1584）しかり、スターリンしかりです。

馬渕：岡部さんはご存知ですけど、ソボールノスチ精神というロシア人の考え方があります。ソボールノスチとは、ロシア宗教哲学の基本概念のひとつで、全一性、精神的一体感のことです。この場合は、独裁者と自分を一体化することで安全や安心を得るということなのだけど、そういう心情が市民の中にある。だからいくら我々がプーチンは独裁的だと批難しても、ロシア人には何の意味も持たないですよ。

岡部：国民がそういう強い人物を求めていますからね。ロシアの国民性でしょう。

ロシアを語る識者の大半はココがおかしい！

馬渕：その辺が、ロシアを議論する時に多くの識者が間違うところです。「プーチンはけしか

郵便はがき

お手数ですが
切手を
お貼りください

150-8482

東京都渋谷区恵比寿4-4-9
えびす大黑ビル
ワニブックス 書籍編集部

お買い求めいただいた本のタイトル

本書をお買い上げいただきまして、誠にありがとうございます。
本アンケートにお答えいただけたら幸いです。
ご返信いただいた方の中から、
抽選で毎月5名様に図書カード(500円分)をプレゼントします。

ご住所 〒

TEL(- -)

(ふりがな)
お名前

ご職業

年齢 歳

性別 男・女

いただいたご感想を、新聞広告などに匿名で使用してもよろしいですか?(はい・いいえ)

※ご記入いただいた「個人情報」は、許可なく他の目的で使用することはありません。
※いただいたご感想は、一部内容を改変させていただく可能性があります。

●この本をどこでお知りになりましたか?(複数回答可)

1. 書店で実物を見て　　2. 知人にすすめられて
3. テレビで観た(番組名:　　　　)
4. ラジオで聴いた(番組名:　　　　)
5. 新聞・雑誌の書評や記事(紙・誌名:　　　　)
6. インターネットで(具体的に:　　　　)
7. 新聞広告(　　　　新聞)　　8. その他(　　　　)

●購入された動機は何ですか?(複数回答可)

1. タイトルにひかれた　　2. テーマに興味をもった
3. 装丁・デザインにひかれた　　4. 広告や書評にひかれた
5. その他(　　　　)

●この本で特に良かったページはありますか?

●最近気になる人や話題はありますか?

●この本についてのご意見・ご感想をお書きください。

以上となります。ご協力ありがとうございました。

らん！」とか、「独裁けしからん！」とか姦《かしま》しいですが、中国に比べたらロシアがどれだけ相手にする価値がある国か。そういう理解の先鞭《せんべん》を産経新聞にこそつけてもらいたいですね。

岡部：ロシア報道に関して、ロシアに詳しくない人、専門でない人たちには、概して「ロシアに対して厳しく書くべきだ」という空気があります。

　個人的には、ロシアは自由と民主主義、法の支配という価値観を共有しない国であり、権威主義的行動に対しては、厳しく批判し、対応すべきだと思います。しかし、そんな国家とは裏腹に、一人ひとりの国民は、日本人に近い人情を持った人たちが多く、日本に好意を持つ人も少なからずいます。厳しい視点だけでは、正確にロシアを理解できないと考えています。

馬渕：結局、日本人には苦手なことだけど、〝ユダヤ〟という要素を認識に入れて物事を見ないと、世界の真相はわからないんです。

　エリツィン政権は首相以下主要閣僚などみんなユダヤ系ですね。さっき名前が出たネムツォフやプリマコフも、第一副首相や財務相などを務めたエゴール・ガイダルも、首相のセルゲイ・キリエンコも、国務長官のゲンナジー・ブルブリスもね。新興財閥（オリガルヒ）では、すでに名前の出たホドルコフスキー、ベレゾフスキー、アブラモビッチ（３人とも第２章参照）の他に、モスト・グループ（金融を中心に、メディアにも力を持った財閥）の総帥で「ロシアのメディア王」と呼ばれたウラジーミル・グシンスキー、あとはアルファ・グループ（ロシア最大の民間銀行アルファ銀行を中心とする財閥）のミハイル・フリードマンもそうです。

ようするに、ソ連時代には国家そのものが国の様々な〝資源〟を事実上支配していたけど、ソ連解体後はユダヤ系の財閥が資源を支配してエリツィンを支えていました。そこにアメリカのユダヤ系も入ってきて、エリツィンを囲んだわけです。

その後、プーチンが出てきて、彼らの勢力を排除していったのが、今日のロシアなんです。だから、プーチンの時代になったら、ユダヤ系はゼロじゃないけど、第一線にはいないんですよ。その意味では、ソ連とロシアはまったくの「別物」だと言えます。

なのに、プーチンをソ連時代さながらの独裁者であるかのように日本の報道機関もこぞって批判するのは、そう思わせたいユダヤ系勢力のメディアに対する影響力が依然として強いからです。

ミハイル・フリードマン
©ZAVRAZHIN KONSTANTIN/GAMMA/アフロ

反プーチンデモをしているNGO団体もユダヤ系ですよね。あれはアメリカにあるユダヤ系のNGOが支援してやっていたわけです。そういうことは新聞に書いちゃいかんのですかね、岡部さん（笑）

岡部：ロシア問題を扱われている研究者の中には、とにかくロシア、プーチン大統領を厳しく批判すれば、日本で評論家としてやっていけると考えている方もおられるようです。

馬渕：あり得るでしょうねえ（笑）。僕もね、とある雑誌に依頼されてウクライナ危機の真相を書いたら、最初ボツにされたんです。「あれは悪いのはネオコンで、プーチンは犠牲者だ」って書いたら、「ちょっと、これは」って戻されてね。「依頼されて寄稿したのに、おかしいじゃない？」って何度かやり取りして、最終的には載りましたけどね。その時も他誌は全部「プーチン悪者」説で、それ以来、新聞系からは一切お声がかからなくなりました。

産経新聞だけは、そういうところも恐れずに、クオリティペーパーたるところを維持して欲しい。そうでないと間違ったロシア観が日本の中で固定されてしまいますよ。それは日本の国益に適わないし、もちろん北方領土問題の解決にもマイナスです。

――もしかして、北方領土が解決しないことで食っている人がいるということですか？

岡部：いつまでも解決しない方が、北方領土問題として価値がある、と考える人がいるのは、残念ながら事実でしょう。

ソ連とロシアはまったくの〝別物〟

馬渕：繰り返しになりますが、結局ソ連とロシアはまったく違うということなんです。ソ連はユダヤ人革命家が作り、ソ連共産党や政府の要人はユダヤ人だったのです。

戦後のフルシチョフあたりから徐々にロシア人が要職を占めるようになりました。それから共産党も、政府も、ロシア人が少しずつ取り返していって、最後にゴルバチョフがソ連を解体させたわけです。

ただし、ゴルバチョフも立ち位置があやふやでね。僕は彼の回顧録しか読んでいないけども（『ゴルバチョフ回想録』上下巻、新潮社、1996年）、ブッシュ大統領と組んで「欧州共通の家」構想を打ち上げ、どうも「ソ連」の生き残りを考えていたきらいもある。

その見通しは甘く、ペレストロイカとグラスノスチ（情報公開）で言論の自由化が進むと、2年か3年間ぐらいでソ連は崩壊しました。ソ連は崩壊したのではなく、解体させられたとの説が根強いですが、ソ連の解体については、本格的な

ミハイル・ゴルバチョフ

研究はまだこれからだと思います。

元時事通信モスクワ支局長の中澤孝之さんは、「あれはソ連崩壊じゃない。解体させたんだ」と喝破《かっぱ》しておられますが（著書『ベロヴェーシの森の陰謀―ソ連解体二十世紀最後のクーデター』潮出版、１９９９年）、どういう力学が働いて最終的に解体に至ったかは、まだ僕も研究しきれていません。

そういう歴史的なことも含めてロシアを俯瞰《ふかん》的に見る知的風土が、これからの日本には必要だと思います。「ロシアはけしからん」だけじゃ知的訓練にならないのであってね（笑）。〝ソ連利得者〟がまだ勢力を持っているのは老害のひとつです。

ルーズベルト政権に入り込んでいたソ連のエージェントは２００人以上⁉

――先ほどヤルタ会談についての話題が出ましたが、当時ルーズベルト政権にはソ連のスパイが多数潜入していたという話もあります。それについてはいかがでしょうか？

岡部：今日では、ルーズベルト政権に２００人以上のソ連のエージェントが侵入していたことが『ヴェノナ文書』（１９４３年から１９８０年までの期間、米国家安全保障局〈ＮＳＡ：アメリカ国防総省の情報機関〉の前身組織がソ連の暗号を傍受・解読した内容をまとめた文書）等によって判明しています。

ルーズベルトの側近で、ヤルタ会談に同行したことでも有名なアルジャー・ヒス（１９０４〜１９９６）もそのひとりですね。当時彼がソ連の軍参謀本部情報総局（ＧＲＵ）エージェントとして暗躍していたことはイギリス側もキャッチしていて、イギリス情報局保安部（ＭＩ５）が１９５６年に作成した「ソビエト・インテリジェンス・アルバム」にも記録が残されています。

アルジャー・ヒス

弁護士出身のヒスは農務省、司法省の職員を務めたあと、１９３６年に国務省に入り、１９４４年には同省の特別政治問題担当局長になりました。ヤルタ会談では、国務長官エドワード・ステティニアス（１９００〜１９４９）の首席顧問として全会合に出席し、ルーズベルト大統領からも頻繁に意見を求められたと言われています。ようするに、それほど重要なポストについている人間がソ連のスパイだったというわけです。

日本にとって何より不幸だったのは、このヒスがヤルタ会談に出席したことです。ヤルタ会談ではソ連の対日参戦の見返りとして、ソ連に南樺太返還、千島列島の引き渡しなどの権益を与える「ヤルタ密約（極東条項）」が結ばれました。そして、１９４５年8月9日、ソ連がこのヤルタ密約に基づき、日ソ中立条約を破って日本に侵攻したことが、今日のロシアによる北方４島の不法占拠に繋がっているわけですよね。

実はヤルタ会談で密約が結ばれる前、１９４４年12月の時点で米国務省は「南千島（国後・択捉・歯舞・色丹の北方４島）は地理的近接性、経済的必要性、歴史的領土保有の観点から日本が保持すべきだ」という内容の極秘報告書を作ってルーズベルトに提出しています。この報告書は国務省がクラーク大学（マサチューセッツ州の私立研究大学）の歴史・国際関係の専門家ブレイクスリー教授（１８７１〜１９５４）に委嘱して千島列島を調査し、作成されたものです。でも、ルーズベルトがそれを読んだ形跡がありません。彼は国務省の報告書を読まず、進言を無視したとされています。

その理由は、米軍は日本本土上陸作戦になると、日本軍の抵抗で50万人の兵士が犠牲になると推定していたからです。それを避けるために、ルーズベルトはソ連の参戦を望んでいました。さすがに当時の駐ソ大使アヴェレル・ハリマン（１８９１〜１９８６）は、ここまでソ連に譲歩して領土を渡すのは問題だと感じて、ルーズベルトに対し、ソ連に千島列島を与えるという合意に再考を促しましたが、ルーズベルトは「ロシアが対日戦の助っ人になってくれる大きな利益に比べれば、千島は小さな問題だ」と進言を退けたようです。

とにかく、この国務省の極秘報告書を管理していたのがヒスなんです。彼は報告書をヤルタに持っていったのに、ルーズベルトに見せていなかったと言われています。しかも、その報告書を見せていないという事実をソ連側が知っています。

ワシントン・ポスト紙の元モスクワ支局長、マイケル・ドブズの著書『ヤルタからヒロシマへ』（白水社、２０１３）によると、スターリンは「盗聴報告のほか、スパイがもたらす米国の説明文書も目にすることができた。共産主義の崩壊後、彼の個人ファイルにはクリル諸島（千島列島）のソ連への割譲に反対する１９４４年12月の米国務省作成の内部文書が含まれていることが分かった。ルーズベルトはこうした問題で自国の専門家の見解を読む気にならなかったが、スターリンはあらゆる微妙な綾までむさぼり読んでいたのである」とあります。そして、スターリンは「ルーズベルトが国務省の助言に従わないことを喜んだ」ということです。

なぜかその国務省の文書をスターリンが持っていて熟読しているんですよ。ということはつまり、ヒスがソ連側に流したんですね。犯人はヒスしかいません。

当時ヒスが国務省の報告書をちゃんとルーズベルトに読ませていれば、もしかしたらヤルタ密約はなかったんじゃないかとも言われています。もっとも、当時ルーズベルトはアルバレス病（動脈硬化に伴う微小脳梗塞の多発）という病気を押してヤルタ会談に出席していたので、国務省の報告書を渡されたところで読めるような体調だったかどうかは疑わしいところもあるのですが……。いずれにせよ、ヒスのスパイ活動を通じて北方４島が奪われたという事実はもっと多くの日本人が知っておいた方がいいと思います。

つまり、日本にとってのいちばんの敵はヒスだったわけです。

ちなみに、ヒスは当時アメリカでもトップクラスのエリートでしたから、戦後には国連の創設にも深く関わっています。最初の事務局長を務めたのもヒスでした。

馬渕：結局はルーズベルト本人の考えというより、容共派の取り巻き連中の考えだったんだろうと思いますよ。

アルジャー・ヒスもルーズベルト政権に侵入していたソ連のスパイとして有名ですが、もうひとり名前を挙げるとすれば、ヒスと同じくルーズベルトの側近で、ヤルタ会談にも同行したハリー・ホプキンス（１８９０〜１９４６）ですね。ルーズベルト政権の第２期に商務長官を務めた人物で、彼も真っ赤っ赤の共産主義者でした。

当時はこういう人たちがルーズベルトを囲んでいたわけですよ。そういう意味では、国務省もまったく〝蚊帳《かや》の外〟だったわけです。

なぜソ連がルーズベルトの周りを自分たちのエージェントで固めることができたかというと、彼らの背後にいたディープ・ステートの力がそれだけ強かったからですね。ソ連のエージェントということはつまり、ディープ・ステートのスパイでもあります。

結局、裏ではディープ・ステートに牛耳られていた。だから、別にスターリンが独り勝ちしたわけじゃなくて、ディープ・ステートによってスターリンが勝つように仕向けられていたというわけです。そういう意味では、「第二次世界大戦とは結局何だったのか?」ということが再検証されなければいけません。

岡部：おっしゃる通りです。ルーズベルト政権に200人のソ連のエージェントがいたというなら、では日本はどうだったのか。私はそういうことをきちんと検証していくべきだと思います。アメリカの政権にソ連のスパイが潜り込み、MI6次期長官候補だったキム・フィルビーはじめソ連のスパイとなった「ケンブリッジ・ファイブ」らがイギリスにもいたということは、当然日本にもいたはずです。

近衛文麿《このえふみまろ》政権のブレーンとなった元朝日新聞記者の尾崎秀実《ほつみ》（1901～1944）が有名

ですが、私が調べた中では、他にも陸軍の中枢も、コミンテルンに赤化され、ソ連に接近し、天皇制存続を条件に戦後、ソ連や中国共産党と同盟を結び、共産主義国家の創設を目指す「終戦構想」がありました。『消えたヤルタ密約緊急電　情報士官・小野寺信の孤独な戦い』（新潮社、2012）でも書きましたが、種村佐孝（1904〜1966）という人物がいます。陸軍参謀本部戦争指導班長という陸軍でもかなり中枢にいた軍人ですが、敗戦末期の1945年4月にまとめた終戦工作の原案「今後の対ソ施策に対する意見」で、（1）米国ではなくソ連主導で戦争終結、（2）領土を可能な限りソ連に与え日本を包囲させる、（3）ソ連、中共と同盟結ぶ——と主張しています。ソ連、中共と同盟を組んで英米を駆逐して戦争を終わらせる。そのためならすべてソ連の言いなりになって領土でも何でも差し出すべきだという種村の終戦案は、空恐ろしい内容です。ちなみに、彼は戦後、シベリア抑留を経て帰国し、堂々と日本共産党に入っています。

また首相秘書官を務めた松谷誠・陸軍大佐が、1945年4月に国家再建策とし「終戦処理案」を作成しましたが、「スターリンは人情の機微があり、日本の国体を破壊しようとは考えられない」「ソ連の民族政策は寛容。国体と共産主義は相容れざるものとは考えない」などと、日本が共産化しても天皇制は維持できるとの見方を示し、「戦後日本の経済形態は表面上不可避的に社会主義的方向を辿り、この点からも対ソ接近は可能。米国の民主主義よりソ連流人民

尾崎秀実

種村佐孝

政府組織の方が復興できる」（回顧録『大東亜戦収拾の真相』）として、戦後はソ連流の共産主義国家を目指すべきだと主張していました。

そう考えると、陸軍内の動きについて、近衛文麿元首相が１９４５年２月、「国体護持にもっとも憂うべき共産革命に急速に進行しつつあり、共産分子は国体（天皇制）と共産主義の両立論で少壮軍人をひきずろうとしている」と上奏文で天皇に警告したのも正鵠《せいこく》を射ていたと言わざるを得ません。国を挙げてソビエト幻想が広がっていたのです。

ゾルゲの協力者として逮捕された尾崎秀実は「（我々の目標は）コミンテルンの最終目標である全世界での共産主義革命の遂行」で、狭義には「ソ連を日本帝国主義から守ること」と供述していますが、岸信介元首相が、１９５０年に出版された三田村武夫著『戦争と共産主義』序文に寄稿した「近衛、東條英機の両首相をはじめ、大東亜戦争を指導した我々は、スターリンと尾崎に踊らされた操り人形だった」との懺悔《ざんげ》は、少なからぬ教訓を与えます。

種村のように、日本軍の中枢で、ソ連の意のままに動いていた人たちやソ連に親和性を持った人たちについて、今こそきちんと検証すべきじゃないかと思いますね。

馬渕：それは非常に重要なご指摘ですね。最近では林千勝さん（昭和史研究家、ノンフィクション作家）がそのあたりのことをけっこう書いていますよね。近衛内閣の書記官長を務めた風見章（1886〜1961）が共産シンパだったとか、尾崎秀実らが集まって作った朝飯会（近衛内閣の政策決定に影響を与えた政治研究グループ）がソ連を守るために支那事変を拡大にもっていったとか。その手の話も、歴史の裏じゃなくて表に出して検証されるべきだと思います。

チャーチルはずるい男!?

馬渕：ところで、僕は岡部さんのチャーチル評というものに関心がありますね。ヤルタ会談にはチャーチルも参加していたのに、この時、彼は何をしていたのか。僕はチャーチルもディープ・ステート側の仲間だったというか、仲間にさせられたんじゃないかなと思うわけです。

先ほども名前が出ましたが、第一次世界大戦の時にウィルソン大統領のバックにいたユダヤ系アメリカ人の投資家バーナード・バルークは、チャーチルのアメリカにおける最大の親友と言われています。第二次世界大戦の時にルーズベルトのバックにいたのもこの人です。それを踏まえると、当時のチャーチルの役目が非常に不透明というか、グレーだという気がしてならないですね。

岡部：そのお話と関連するチャーチルの直筆手紙を以前、英国立公文書館で見つけたことがあります。1953年にアメリカが共和党のアイゼンハワー政権になった時に、ヤルタ密約の法的有効性が問題となり、当事国のひとつであるイギリスでも問題になるんですね。「なんであんな議会も批准していない密約を交わしたのか」と。

その時にチャーチルは、「自分はスターリンとルーズベルトのサシ（一対一）の会談には入っていない」と釈明しています。つまり、「密約は米ソで勝手に決めたことで、自分は〝蚊帳の外〟だったから発言権はなかった」と言っているんですね。結局チャーチルも密約にサインしているんですが「あれは不本意だった」とも述べています。

どうも彼の言わんとすることは、いわゆる領土保全の原則に反してソ連に領土を与えたことに対する責任は自分にはない、という責任逃れをしているんですね。逆に言うと、これはヤルタ密約が正当性に反するものだとチャーチル自身が認めているということにもなります。

他にも、チャーチルは、アジアにイギリスの存在感を残すために一応密約にサインをしたと

ウィンストン・チャーチル

も釈明しているんですが、他にも様々なイギリス外務省の公文書を見てみると、明らかに正当性に問題があるということをイギリスは早い段階から認識しているんです。だから馬渕大使の言う通り、それは玉虫色の、本当にずるいチャーチルの一面じゃないかと思います。

馬渕：そのチャーチルの釈明は面白いですね。実はもうひとつ、彼が釈明しなければいけないことがあります。「自分は何も知らなかった」なんて言い訳をしているチャーチルが、1944年にはスターリンと二人で東欧の分割を決めているんですよ。

岡部：バルカン密約（パーセンテージ協定[※]）ですね。チャーチルがモスクワを訪れ、スターリンとは戦後のバルカン半島をイギリスとソ連で分割する案を小さな紙切れに手書きで書き、スターリンが青鉛筆で「よし」との意味で印をつけました。実は、何百万人の運命を決めたこの

※**パーセンテージ協定**：1944年10月にチャーチルとスターリンがモスクワで会談し、第二次世界大戦終結後のイギリスとソ連のバルカン半島における勢力範囲を定めた協定。「ルーマニアはソ連が90％、ギリシャはイギリスが90％、ハンガリーは両国が50％」などの形でチャーチルがスターリンに勢力比率を提案したとされる。

紙切れのメモが、英国立公文書館に保存されています。

馬渕：そうです。それをチャーチルがどのように釈明するのか、ということですよね。私は若干、それについて皮肉な見方をしています。ようするに、チャーチルが独断でできるはずがないということですよ。だから、はっきりいえばチャーチルもシティ、つまりはディープ・ステートの意向を受けてそれをやったはずだと思います。

チャーチルの回顧録では自分の提案だと言っているんですけど、百歩譲って彼の提案だとしても、ルーズベルトがいない時にどうしてそれを提案できたのだろうかという疑問が当然生じてくるんですよね。しかも、自分で東欧を売り渡しておいて「私は何も知らなかった」というヤルタの釈明はできるはずがないんですよ。その他の、たとえば日本のことなどについては、自分が知らなかったと言いたいわけなんでしょうけど、そうはいかないだろうという気がしてね。

だからルーズベルトとチャーチルの関係、それからチャーチルとシティ（ディープ・ステート）との関係というのは、もっとこれから検証されてしかるべきだと思います。

岡部：そうですね。チャーチルとシティとの関係は、もっと調べたいと思います。

馬渕：それから、先ほど岡部さんがご指摘されたように、日本も工作を受けているわけです。だから、それも含めて総合的に検証されないといけません。歴史が何だとか、東京裁判史観が何だとかいろいろ言っても、結局それでは中途半端に終わります。

私は自分の本でもこれまでずっと「大東亜戦争は〝仕掛けられた〟戦争だ」と言ってきました。つまり、日本にもアメリカにも、ソ連のエージェント、もっと言うならディープ・ステートのエージェントが入り込んでいて、そういう連中同士が手を組んで日本を戦争に引きずり込んでいったわけです。ソ連のエージェントの元を辿れば、結局はディープ・ステートのエージェントだということになりますからね。

私としては、今後こうした構図がより明確になり、今まで隠されてきた歴史の見直しが進んでいく気がします。やはりそれが〝歴史の精神〟でなければいけない。一方的な修正主義者が書いている歴史観ではなくてね。

「正史」とされているものに対しても疑問を持つ

岡部：馬渕大使のおっしゃったこととの関連で思い出したのですが、先ほど私が名前を出した種村佐孝という人は、戦争中に大本営陸軍部戦争指導班の参謀として業務日誌（『大本営機密日誌』）を書いています。戦局が悪くなって、ソ連が攻めてくるだろうという時に、「もしソ連が攻めてきたとしても、ソ連のもとで天皇を満洲に連れて行き、共産主義のもとで第二の日本を作り直したらいい」ということを書いているんです。これは当時の普通の感覚ではちょっと考えられないですね。

　戦争末期、対米降伏の和平交渉は米国の偽装で、対米戦争継続のためソ連との同盟論を主張して、対ソ終戦工作に従事したと言われます。ソ連対日参戦のヤルタ密約情報をつかんだ小野寺信（1897〜1987）からの電報が陸軍中枢で握り潰された件も、おそらく工作を受けてソ連に親和性のある人たち、ソ連を通じての終戦を目指していた人たちが絡んでいる※気がしてなりません。彼らにとっては、ソ連を裏切ることは許されなかったんですね。だから、米英ではなく、ソ連のもとで戦争を終わらせようとした。彼らは取りも直さずソ連の工作を受けていた一派だったのでないでしょうか。

　種村は、戦後にソ連に抑留され、シベリアからモンゴルのウランバートルにあった「第7006俘虜《ふりょ》収容所」に送られ、共産主義革命のための特殊工作員として朝枝繁春（1912〜2000）、志位正二《まさつぐ》（1920〜1973）、瀬島龍三（1911〜2007）らとともに訓練を受けたとの情報があります。

　だからアルジャー・ヒスのようなソ連のエージェントは日本にもいたはずですから、まさに馬渕大使がおっしゃったように、中枢の工作活動まで踏み込んで、きちんと時間をかけて歴史を検証し直すべきだと思いますね。

馬渕：岡部さんが今おっしゃったその工作の一環に出てくるのがいわゆる太平洋問題調査会（ＩＲＰ：Institute of Pacific Relations）ですね。蔣介石（１８８７〜１９７５）の私的顧問を務めた中国学者のオーウェン・ラティモア（１９００〜１９８９）らを筆頭とするね。

そこに日本のいわゆる開明的知識人や親米派知識人だけじゃなくて、共産主義スパイがたくさん入っていました。尾崎秀実もそのメンバーですよ。

だから、そういう人たちが当時の日本の政府や軍部の中にも入り込んでいて、岡部さんのおっしゃった種村佐孝以外にも共産主義に傾倒する人たちがたくさん出てきました。天皇をいただく共産主義体制なんかを考えるような軍人までいたと言われていますからね。

でも、そこがまだ歴史の表に出てきていない。これからしっかりと検証されなきゃならない

※ストックホルム駐在陸軍武官の小野寺信は、ロンドンの亡命ポーランド参謀本部から、ヤルタ会談でソ連がドイツ降伏３カ月後に対日参戦する密約を交わした情報を入手し、１９４５年２月中旬頃、参謀本部あてに緊急電で伝えた。しかし、当時日本の中枢は、中立条約を結んだソ連の仲介による終戦工作を頼みの綱としていたため、小野寺情報も国策に生かされることなく、半年後にソ連の侵攻を招いた。

フランクリン・ルーズベルト

オーウェン・ラティモア
©TopFoto/アフロ

点です。この問題を議論するだけでも一冊の本になるぐらいの話なんですけどね。

たとえばルーズベルトひとつとっても、彼は米国史上最も優れた大統領だと、世論の上では言われています。でも、ルーズベルトこそ本当の人種差別主義者ですよ。「日本の頭脳は劣っている」なんて言っていた人ですからね。そういう人がいまだにもてはやされているのは本当におかしなことです。

岡部：確かにルーズベルト神話の見直しも必要ですね。

馬渕：せっかくですから、私はこの本の読者の方々には「正史」とされているものに対しても、常識で考えておかしければ疑問を持てるようになって欲しいと思っています。そういう〝知的武装〟をして欲しいわけです。

たとえば「ヤルタで騙された」なんてチャーチルが自分から言うこと自体が、すでにチャーチルのイカサマであってね。私も外交交渉をやった者の端くれだからわかりますが、ヤルタのような戦後の勢力圏を決める重要な会議で、騙されるなんてあり得ない。アメリカは国務長官

ヨシフ・スターリン

（ステティニアス）以下、主要政府高官や軍のトップがルーズベルトと一緒に行っているわけだから。

イギリスだってチャーチル以下、外務大臣、高級軍人など錚々《そうそう》たるメンバーだったのです。

スターリンがいかに狡猾《こうかつ》でも、そういう面々を全員騙すことはできません。

だからチャーチルやルーズベルトはスターリンに騙されたのではなく、この3巨頭よりも力のある者が決めたのです。会議の前に事実上決まっていたんですよ。

岡部：実際そうですね。1944年12月にクレムリンで、スターリンがアメリカのハリマン駐ソ大使に地図を見ながら、「千島列島と樺太をもらう」と宣言して、満洲の権益などをどうするかなど、秘密協定の骨格を固めたようです。

対日戦に参戦することは、実際は1943年の11月にソ連は決めていて、1944年11月の革命記念日に日本を侵略国と断定し、1945年の2月のヤルタで、既定の案を確認したようです。ただ、ドイツが敗色濃厚となった大戦終盤に戦勝国の3大国巨頭が戦後の分割統治を見据えてヤルタで決めたことは、大きな意味を持ったと思います。

第二次世界大戦とは結局何だったのか？

馬渕：先ほども申し上げたように、今こそ「第二次世界大戦とは結局何だったのか？」ということが再検証されなければならないわけですが、これに対する私の答えはもうはっきりしています。今の歴史教科書的な正史とは離れるけども、「第二次世界大戦は〝共産主義を拡大するための戦争〟だった」というのがその〝答え〟です。

つまりスターリンは、アメリカやイギリスを操るシティやウォール街の手引きで戦争をしたようなものですね（苦笑）。そして終わったらアメリカが支援してソ連を東側の盟主に祀り上げた。このような裏側の事情を全部知っているくせに「鉄のカーテンが降ろされた※」なんてしゃあしゃあと言うチャーチルもどうかと思います。まったく狡猾な人物です。

当時のソ連の実際の国力ではアメリカの敵になれるはずがないのに、なぜソ連が〝超大国〟に祀り上げられたのか？

これは一種の捏造ですよ。証拠はいくらでもあります。

朝鮮戦争ひとつとってもわかるじゃないですか。アメリカは国連軍の形で介入したけど、負けるはずがないのに勝てなかった。いや、勝たせてもらえなかった。この戦争でアメリカ政府が負け戦《いくさ》をあえて誘導した様子を、国連軍司令官であったダグラス・マッカーサー（１８８０〜１９６４）が回想記（『マッカーサー大戦回顧録』津島一夫訳、中央公論新社、２０１４年など）に苦々しい思いで書き残しています。

ベトナム戦争も同じです。北ベトナムとの間に圧倒的な国力差があるのに、どうしてあんなに長引いたのか？

この間、アメリカは北ベトナムの後ろ盾のソ連に対し３００億ドルの融資までしています。そして、最後は負ける形で南ベトナムから撤退しました。

私はソ連にいた時、ソ連が超大国と言われるのはおかしいと気付いたのと同時に、アメリカがなぜそんなソ連に対して譲歩ばかりしているのかが、ずっと疑問だったのです。でも、調べたら何のことはない。アメリカがソ連を裏から支えていたのです。それでだんだんわかってき

※チャーチルは首相退任後の1946年3月、ハリー・トルーマン米大統領（1884〜1972）に招かれてアメリカのミズーリ州フルトンで演説し、「バルト海のシュテッティンからアドリア海のトリエステにいたるまで、ヨーロッパ大陸を遮断する鉄のカーテン（iron curtain）が降ろされた。中部・東部ヨーロッパの歴史ある国々の首都はすべてそのラインの向こう側にある」と語った。その後、「鉄のカーテン」は、冷戦時代の東西両陣営の緊張状態を表す比喩として用いられるようになった。

て、「東西冷戦は八百長だった。ソ連は張り子の虎だった」と、今は誰はばかることなく言っているわけです。

岡部：キューバ危機の時にそれがはっきりわかったと先ほどおっしゃっていましたね。

馬渕：そうです。あの時ケネディは形だけの牽制じゃなく、本当に拳を振り上げた。キューバを海上封鎖したのです。

その封鎖線に、キューバにミサイルを運ぶソ連の艦船が近づいて、線を越えるか越えないか、越えたら核戦争だ、本当に第三次世界大戦の始まりだ――そう思って我々は固唾《かたず》を飲んで見ていました。そしたら、フルシチョフは艦船にUターンを命じて、あっさり引き返させてしまった。もちろんその間に両首脳間で細かいやり取りはありました。アメリカがキューバを侵略しないことを約束したとか、トルコからのミサイル撤去に同意したとか。

でも、本当のところは、もし戦争になったらソ連としてはアメリカと正面から対抗できる軍事力がないから、フルシチョフは引き下がらざるを得なかった。

しかし、これでソ連が張子の虎、つまり〝ハリボテ〟であることがバレてしまった。その意味ではケネディはやりすぎた。だから消されてしまった。

岡部：なるほど。ケネディは確かにやりすぎだったのでしょう。

馬渕：これは決して私の勝手な想像ではなくて、さっきも少し触れましたが、ソ連の外務大臣を長く務めたグロムイコの回顧録に出てくる話なのです。ちなみに、グロムイコは第二次世界大戦中には駐米大使として米ソの関係強化に務めています。

キューバ危機のあと、ケネディが暗殺される数カ月前に、ホワイトハウスのバルコニーでグロムイコと二人きりになる場面がありました。その際、ケネディは「米ソ関係の改善を模索しているのだけど、関係改善に反対する勢力が米国内に２つある」と言ったそうです。ひとつは当時どこの国にもいた反共主義者。もうひとつは「ある特定の民族だ」と。

岡部：ユダヤですか？

馬渕：そうです。グロムイコはわざわざ自分で注釈しています。「これはユダヤ・ロビーのことを指す」と。

これでもう東西冷戦とは何だったかがわかるわけです。米ソが同等で対立してくれていないと東西冷戦を仕組んだユダヤ勢力としては困る。だからソ連の実態を暴いたものは許さないと。

ニキータ・フルシチョフ
©TASS/ アフロ

ケネディが暗殺された最大の理由

馬渕：同じ二人きりの会話の場面で、ケネディは「その特定の民族は、米ソの関係改善を阻止する有効な手立てを持っている」と続けたそうです。それから数カ月後にケネディは暗殺された。その速報を聞いた時のグロムイコの反応が意味深です。「なぜだかわからないが、あの時のホワイトハウスのバルコニーでのケネディとの会話が思い出された」と書いています。これはもう「ケネディを暗殺したのはユダヤ・ロビーだ」と言っているのと同じことなんですよ。

岡部：なるほど。ディープですね。

馬渕：ユダヤ勢力がケネディを暗殺したのには、米ソ関係の他にベトナム戦争も絡んでいました。ケネディは戦争を止めようとしていましたからね。でも、やっぱり暗殺の動機としていちばん大きな理由は、リンカーン暗殺と同じようにケネディが政府通貨を発行したことです（第1章参照）。

ケネディはユダヤ・ロビーが株主であるFRB（連邦準備銀行）を飛ばして、大統領令でドル札を発行しました。ユダヤ・ロビーとは、要するにシティやウォール街の金融資本家が中核です。『グロムイコ回想録』を読めば暗殺の真犯人が出てくるんですね。実に面白い。でも、一般公開されている本なのにジャーナリストも含めて誰も注目しない。不思議なほどに。

岡部：『グロムイコ回想録』を精読しなければなりませんね。

馬渕：こういう事実を組み立てていくとね、世界で今、表向きに言われているのとは、まったく違う歴史なり世界像なりが浮かんできます。そういうことを知っているのと知らないのとでは、同じニュースを見聞きしても認識が全然違ってくる。

特にアメリカ大統領選というひとつの〝世界史的な事件〟を経た今がまさに日本の未来を左右する大切な時期です。大手メディアが流す表向きのニュースに右往左往したり、頓珍漢《とんちんかん》になったりしないように、こういう見方もあるんだということを、本書を通じて多くの日本人に知ってもらいたいですね。

岡部：まったくです。そういう日本人が増えればうれしいですよね。

北方領土問題の解決にも「新・日英同盟」を！

岡部：馬渕大使がおっしゃっているように、アメリカの大統領選挙を経たまさに今が日本の正念場だと思います。

安倍前首相には任期中に最後のレガシーとして北方領土交渉をぜひやって欲しいと思っていましたが、残念ながら体調不良で辞任なさったのでそれは叶いませんでした。

一方、ロシアは2020年7月の憲法改正で、領土の割譲に関与した者に懲役刑を科すことができるようになり、プーチン大統領が2021年2月、日本との関係でこれらの規定に反することはしないと述べたことで、日本ではロシアが恣意《しい》的な憲法改正で一方的に領土交渉拒否に出たと反発が広がっています。さらにロシアは、「平和条約は平和・友好・善隣条約といった形をとった方がいい」(ガルージン駐日ロシア大使)などと、「領土抜きの平和条約」や「ドイツのように平和条約がない関係」さえ策謀しています。

ロシア側の憲法改正で、交渉がいっそう難しくなったとも言われていますが、原点に立ち返れば領土交渉は首脳外交であり、最後は首脳同士が決めるものです。

だからこそ、20数回も首脳会談を重ねた安倍さんに決めて欲しい、と願っていたんですけどね。ここはいったん、安倍さんにはお休みいただいて、持病を治療して体調を整えられたら、ぜひ再登板して対露交渉に取り組んでいただきたいですね。北方領土問題を解決できる日本の政治家は安倍さんをおいていないと思います。

ロシアもプーチンが歴代指導者の中で最も北方領土問題を理解していると思います。プーチン時代は、交渉を控えるべきとの議論もありますが、私は、この二人の指導者の手で、日露の新たな歴史を作るべきだと考えます。安倍さんには再登板されて、次回こそ、懸案の北方領土問題を決着してもらいたいですね。

馬渕：同感ですね。おっしゃる通りです。プーチン以外に期待するとの専門家たちの見解は何の保証にもなりません。現在のところ、プーチン以上に日本を高く評価しているロシアの政治家はいませんからね。

岡部：おそらくこれからもロシア側のラブロフ外相以下の官僚は相変わらず厳しいことを言ってくるでしょう。彼らは領土問題では、譲歩の姿勢を見せず、厳しく発言しないと、左遷されて官僚として将来がなくなりますからね。

クリル（千島列島のうち北方4島）を返してしまうと、他のところ、たとえばバルト三国のエストニアなどはまだ国境線が確定していないのですが、そういった他の国との領土問題が再燃してしまう。それはロシアにとって困ります。

しかし、プーチンは北方領土問題を片付けることによってロシアが国際情勢下で得られるメリットを誰よりもわかっていると思います。だから、プーチン後よりもプーチン在籍中に問題を決着できるように考えるべきだと思います。

今度こそ、プーチンが北方４島の領有の根拠とするヤルタ密約について、首脳同士で徹底議論して決着をつけて欲しいですよね。

ヤルタ密約に署名した３国のうち、アメリカは法的有効性がないので無効と宣言していますが、前に述べたようにイギリスも英外務省の公電では、「法的有効性に疑念がある」としているので、イギリスが米国同様、公式に法的有効性への疑念を表明すれば、ヤルタ密約は正当性を欠き、ロシアの領土占有根拠は崩れます。

先ほど申し上げたこととも繋がりますが、進展する日英関係のモメンタム（勢い）を背景に、イギリスを味方につけて「新・日英同盟」を結べば、北方領土の解決にも大きな推進力になるはずです。

馬渕：「新・日英同盟」の話題が出た時にも申し上げましたが、私もイギリスを味方につけることは大賛成です。外堀を少しずつ埋めていくということですね。そのような努力を重ねながら、最後はトップの二人で決断する以外に道はありません。

もちろん菅総理に期待したい気持ちはありますが、外交経験が少ないことや、ロシアを理解していないことからも、やはり難しいでしょうね。岡部さんのおっしゃるように、再びプーチン・安倍会談が実現すれば、北方領土問題の解決も大いに期待できると思います。

ヤルタ密約「引き渡し」論議で北方4島返還を

岡部：停滞する北方領土交渉の局面打開策として具体的な〝秘策〟があります。

プーチン大統領が、電話会談で菅義偉首相に北方領土交渉の基礎に提案したのが1956年の日ソ共同宣言です。

日ソ共同宣言は「平和条約締結後にソ連は歯舞群島と色丹島を日本に引き渡す」と記していますが、プーチン氏は、「引き渡す根拠や、どちらの主権になるかは明記されていない」と解釈し、歯舞と色丹の2島返還を素直に履行する意思を示していません。

では、「第二次世界大戦の結果、ロシア領になった」とロシアが2004年以降、オウム返しのように千島列島内の北方4島（クリル諸島）領有を合法化する根拠と主張するヤルタ協定の第3項の「クリル諸島がソビエト連邦に引き渡される」（ロシア語で「ペレダーチャ」）はどう説明するのでしょうか。

第二次世界大戦末期の1945年2月、クリミア半島のヤルタで対日参戦の見返りとして、ソ連に南樺太返還、千島列島の引き渡しなどの権益を与える「ヤルタ密約（極東条項）」が結ばれました。ソ連はそのヤルタ密約に基づき、同年8月9日に日ソ中立条約を破って侵攻し、今日のロシアにいたるまで北方4島を占拠し続けています。

英国立公文書館所蔵のヤルタ密約原本は、ソ連側で作られ、「引き渡し」と書かれています。つまりスターリン自身が「引き渡し」の言葉を使用していたのです。

ヤルタ密約と日ソ共同宣言にある「引き渡し」は、ロシア語では奇しくも同じ「ペレダーチャ」です。日ソ共同宣言に対するプーチン氏の解釈でいえば、ヤルタ密約でも、根拠を示していないため、千島列島の主権はロシアに移らず、いまだに日本の主権下にあることになります。

菅首相には、プーチン氏と首脳レベルで、こうした法解釈に基づく「引き渡し」の根本的な議論を徹底的に行ってもらいたいものです。

馬渕：鋭いご指摘です。まさにロシアの主張を論破する最大の論理です。多分ロシアも「ペレダーチャ」を都合よく使い分けていることは十分承知しているはずです。つまり、日本がどれくらいロシア側の論理矛盾を理解しているのか、試しているのだと思います。今、岡部さんが指摘された点を指摘し、我が外務省が反論したのか、不明ですが、この点はまったく報道されていませんのでおそらくやっていないと思われます。ロシアに対してこの点を指摘すれば、法学部出身のプーチンもカブトを脱ぐでしょう。すぐにでも2島返還は実現できます。日本が優位にあるのですから。

第4章

習近平・中共との戦い

「騙すこと」を文化にしてきた中国に騙されるな！

――アメリカでバイデン政権が誕生したことで日本は今まで以上に中国への警戒が必要になるかと思うのですが、我々はこれからどのように中国と向き合っていけばいいでしょうか？

馬渕：日本人と中国人はそもそも合いません。〝波長〟が合わないと言ってもいい。それは国民性や民族性の違いに由来するものです。それに加えて、現在の中国は共産党の一党独裁政権ですから、議会制民主主義の日本とはなおさら合うはずがありません。

ここをまずしっかりと押さえておかなければ日中関係を読み解けないですし、世界と中国の関係も読み解けないでしょう。

中国はこれまで、いわゆる「親中派」と呼ばれる日本人をたくさん日本で育成してきました。安倍前首相の周りにもたくさんいましたし、今の菅首相の周りにもたくさんいます。政界だけではありません。経団連（日本経済団体連合会）を見てもわかるように経済界にもたくさんいます。

中国共産党はこれまで対中ビジネスの利権、いわゆる中国利権をエサにして、本来なら波長が合わない日本人を次々と釣り上げてきたわけです。そして、そのエサに無邪気に食いつき、「日中友好」などと叫んでいる日本人を見て、中国共産党の要人は「騙されやすいバカな日本人だ」

と腹の中で軽蔑しているはずです。
彼らにとっては「騙すこと」は一種の文化ですからね。「騙す奴より騙される奴の方が悪い」という発想ですから、日本人と合うはずがありません。

イギリスにも巣食っていた親中派

岡部：イギリスも最近までは日本とそれほど変わらない状況でした。そもそも、西欧で最初に中国共産党を承認したのはイギリスです。中華人民共和国の建国から3カ月後の1950年1月、当時労働党のクレメント・アトリー首相（1883〜1967）がその決断をしています。
英中関係が特に接近したのは、比較的記憶に新しい保守党のデービッド・キャメロン政権時代（2010〜2016）ですね。

馬渕：キャメロン政権で財務大臣をしていたジョージ・オズボーンはかなりの親中派でしたよね。

岡部：はい。オズボーンは親子3代にわたって中国と縁を持っています。彼の母親は大学で中国語を学び、1970年代に中国で暮らしていたことがあります。そして、オズボーン自身も若い頃には中国語を学び、バックパッカーとして中国、香港、シンガポールで過ごした経験の持ち主です。彼の娘も大学で中国語を勉強していました。

ようするに、筋金入りの「親中派」なわけですが、キャメロン政権時代にはこのオズボーンが「イギリスが中国の西側における最高のパートナーになる」と対中融和政策を主導していたんですね。

キャメロン政権下では、人民元のオフショア市場（非居住者の金融・証券取引が自由に行えるよう税制面などの規制が緩和された国際金融市場）としてシティが開放されました。

また、2013年にはキャメロン首相が訪中し、多額の投資を呼び込む巨額ビジネスの契約を結んでいます。

その見返りなのか、2014年の李克強《りこっきょう》首相の訪英では、エリザベス女王との面会を実現させました。でも、本来イギリス王室のプロトコール（国際儀礼）では、女王が面会するのは、原則として国家元首に限られています。これではイギリスが中国との経済関係拡大を優先し、その強引な圧力に屈したと見られても仕方がありません。

しかし、当のキャメロン首相は、2015年3月、中国主導のアジアインフラ投資銀行（AIIB）に主要国で最初に参加を表明し、同年10月、国賓として英国に公式訪問した習近平国家主席と４００億ポンド（当時のレートで５兆６０００億円）という巨額の投資契約を結ぶと、「英中黄金時代」と自賛しました。ただし、エリザベス女王は、訪英中の習主席一行の尊大な態度を、「ルーズ（とても失礼な態度）だった」と批判しています。女王は、覇権志向を強める中国の本質を見抜いていたのでしょう。

デイヴィッド・キャメロン

ジョージ・オズボーン

キャメロン政権はリーマン・ショック（２００８年９月の米国大手投資銀行リーマン・ブラザーズの経営破綻に端を発する世界的金融危機）後の財政赤字改善策として緊縮財政政策を打ったため、経済発展のカギを対中関係に置いていました。当時は中国からの巨額な投資が、国家財政を支えていたといえます。

ベルリンの研究機関「メルカトル中国研究センター」によると、２０００年から２０１９年までに中国がヨーロッパ各国に行った直接投資は、対イギリス５０３億ユーロ、対ドイツ２２７億ユーロ、対イタリア１５９億ユーロで、対イギリスが最大です。

中国は〝国家〟じゃなくて〝市場〟!?

馬渕：中国は今、表向きはいろいろと強気な発言をして大風呂敷を広げていますが、国内経済的には無理な不動産開発など経済効率を無視した政治主導の結果、地方政府や企業の債務が膨らんで非常に深刻な事態に陥っています。

特に2020年の武漢発コロナウイルスの流行で経済活動が事実上数カ月にわたりストップしたことが、その混乱に輪をかけることになりました。

また、採算を度外視した海外への投資や対米貿易黒字の減少などにより、外貨が不足して人民元の発給量が制約を受け、外貨借り入れが増大するという悪循環に陥っています。

中国政府の公式発表では経済成長率が年率6%なんていう数字が出ることもありますが、そもそも中国政府の経済統計はまったく信用できません。実質的にはマイナス成長で、国営企業は事実上破綻しています。不動産バブルも崩壊しているのですが、共産党政権が情報統制によって隠しているんです。

先ほども申し上げた通り、「騙すこと」は中国の文化なのですが、中国経済全体が騙しの塊《かたまり》であると言っても過言ではありません。「台頭する経済大国・中国」なんて世界中が騙されているわけですからね。中国が推進する、一見華々しいＡＩＩＢ※1や一帯一路構想※2に隠された〝嘘〟に世界がなかなか気づくことができていません。まあ、我が国の大手メディアの中国礼賛報道に関しては、中国の騙しのテクニックがすごいのか、ただただ日本のメディアが愚かなのかわからないところはありますがね（笑）。

岡部：日本のメディアでも、日本にとって中国は、米国よりも地理的、文化的に近く、経済関係が密接なので、米国の反中政策とは一定の距離を置くべきなどと中国寄りともみられる報道も散見されます。

馬渕：中国が嘘をついていることくらい、少し常識を働かせればわかるはずなんですけどね。それができないということは、日本のメディアは中国のマネートラップなどの各種工作にかかってしまい、中国批判ができないという側面が強いのかもしれません。

日本のメディアはＡＩＩＢや一帯一路構想に対して過剰に高い評価を与え、「バスに乗り遅

※1：**ＡＩＩＢ**（Asian Infrastructure Investment Bank）：アジアインフラ投資銀行。２０１３年に中国主導で創設された国際開発金融機関。アジア地域におけるインフラ整備の金融支援を目的とする。
※2：**一帯一路構想**：正式名称は「シルクロード経済ベルトと21世紀海上シルクロード」。習近平が２０１３年の演説で提唱した、アジア・ヨーロッパ・アフリカにまたがる広域経済圏構想。

れるな」と日本政府や経済界に中国の言い分を受け入れるよう宣伝し続けています。でも、あんなものは、結局のところ外国を騙してカネをせしめようとしているだけのことです。

仮に日本がＡＩＩＢに参加したところで、安く受注できる中国の企業にしかプロジェクトの入札は落ちません。日本は巨額の出資金を収奪されるだけでしょうね。

一帯一路もしかりです。事業は中国の国有企業がやることになっているので、日本企業はプロジェクトの受注などできないでしょう。後で大きく騙すために、最初のほうで多少のエサはくれるかもしれませんがね。

そもそも一帯一路構想は２００６年、第一次安倍内閣の当時の麻生太郎外相が提唱した「自由と繁栄の弧」（ユーラシア大陸外周に成長した新興民主主義国を帯のように繋いで連携していく外交戦略）を中国が真似たものです。

習近平

「自由と繁栄の弧」は旧ソ連諸国を中心とする地域の民主主義社会の確立と、開かれた経済発展を目指すものでした。それに対して、一帯一路は中国が〝参加国から搾取するシステム〟を作るための構想です。

中国は今も昔も、徹底的に自己中心的な国です。便宜上「国」

という言葉を使ってはいますが、中国は過去の一度だっていわゆる「国民国家」だったことはありません。中国の指導者には「国民や国家を繁栄させる」という発想などなく、いかに民衆から搾取して自分の懐を肥やすかしか考えていないわけです。

私はこれまで、「中国は国家ではなく〝市場（マーケット）〟だ」と言い続けてきました。それは習近平が目指す世界覇権が「中国主導のグローバル市場」だからです。

こういうことを言うとすぐに「ヘイトだ！」と騒ぎだす人たちがいますが、私の言っていることは中国差別でも中国へイトでもありません。相手を正確に知るということは、国同士の付き合いの基本です。この点をしっかり認識しておかないと国際情勢を読み誤ってしまいます。

香港問題で怒髪天《どはってん》のイギリス！　脱中国の覚悟！

――トランプ政権からバイデン政権になったことで、イギリスが以前のように中国寄りになると心配する声もありますが、今のイギリスは中国をどうみているのでしょうか？

岡部：アメリカの大統領がバイデンに変わりましたが、イギリスの対中強硬姿勢に変化はありません。イギリスの〝反中〟はこれからも続きます。英中関係は、悪化の一途を辿っています。

馬渕‥イギリスが完全に反中に舵を切ったというのは、歴史的に非常に大きな出来事ですね。さっき岡部さんがおっしゃったように、イギリスの対中利権というのは、世界最大規模だったわけですよ。実は今でもそれに近い。だから、その国が中国と縁を切る、デカップリングする意味はとても大きいと私は思います。いちばんボヤッとしているのは、むしろ日本なんですよ。それが何より問題です。

岡部‥イギリスの中国に対する意識が大きく変わったきっかけは、やはり新型コロナウイルスと香港問題ですね。

キャメロン政権（2010～2016年）時には「黄金時代」と評されるほど、英中関係は良好でしたが、中国が近年、英中共同宣言（1984年）で「一国二制度」を英国の旧植民地・香港を徐々に弾圧していくことに、英国では反発が強まりました。そして、ご存じの通り、新型コロナのパンデミック（世界的大流行）に乗じて、2020年5月28日の全人代（全国人民代表大会）※で香港への統制を強化する国家安全法（反体制活動の禁止などを定めた法律）の導入を決議し、施行によって民主化運動の息の根を止める暴挙に出て、英中の対立は決定的になりました。

習近平政権は、「高度な自治権」を持つ「一国二制度」を保障する英中共同宣言や、市民的・

政治的権利に関する国際規約を反故にして、香港市民の人権を踏みにじるようになったわけです。

そもそも香港返還前のイギリスは、租借期限が終了する新界のみの返還を検討していました。しかし、イギリスの永久領土である香港島や九龍半島の返還も求める鄧小平《とうしょうへい》副主席に押され、マーガレット・サッチャー首相が「善意」で返還に応じたわけです。少なくとも、イギリスはそう解釈しています。

だから、中国側から提示された「一国二制度」をもとに、香港では、返還後50年間、つまり2047年までは共産主義を施行せず、高度な自治権、立法権、独立した司法権を享受できることにしました。そして、言論、集会、結社などの諸権利と自由を保障する資本主義制度を保持すると、共同宣言に明記したのです。

しかも、この宣言は国際条約として国連に登録されています。つまり、法的拘束力のある「国際公約」とみなされてきたわけです。

ところが、中国は「宣言は中国側による政策提示であり、イギリスへの約束ではなく、国際的義務ではない」と反論し、2020年5月の全人代で国家安全法の導入を決めました。これ

※**全国人民代表大会（全人代）**：毎年開催されている中華人民共和国の一院制議会であり、中国の形式的な最高権力機関にして立法機関。天安門広場の西端にある人民大会堂で行われる。

はイギリスからすると、信義則に反する裏切り行為です。

イギリスには、「香港に自由と民主主義を根付かせたのはイギリスだ」という自負があります。それが北京の独善によって正面から破壊されたのだから、国家としてのプライドを引き裂かれた格好となったわけです。

馬渕：旧宗主国のメンツを潰されたわけですから、イギリスが怒るのも当然ですよね。

岡部：ええ。それに新型コロナの隠蔽問題もあって、イギリスもいよいよ中国が情報隠蔽も弾圧も辞さない全体主義国家であることの危険性に気づきました。こうしてイギリスに中国への不信感・警戒感が広がっていったんです。

香港最後の総督だったクリス・パッテン卿と英国駐在中に親しくさせていただきましたが、国家安全法が施行された直後に久しぶりに電話でお話しすると、「中国はデッドラインを超えた」と怒り心頭でした。「イギリスは今まで中国に甘かった。日本がロシアに甘いように。そのツケがきた」とも言っていましたね。

その後、イギリスは次世代通信規格「5G」から中国通信機器大手の華為技術（ファーウェイ）製品を将来的に排除する方針を決定。さらに中国共産党が最終的な編集権を握っているとして、イギリス当局が中国国営メディアの英国内での放送免許を取り消しにすると、中国はウイグル問題などをめぐってＢＢＣ放送を虚偽報道と批判、ＢＢＣ国際放送の中国内での放映を禁じるなど、対立は日増しに激化しています。

馬渕：そうでしょうね。むしろそれまでイギリスが……というよりヨーロッパ社会が中国の本性に気づかなかったのが不思議なくらいです（笑）。

中国に〝電力〟と〝通信〟を握られていたイギリス

岡部：ただ、イギリスがこれまで中国に甘かったのには理由がありまして、キャメロン首相時代に、国家にとって重要な２つのインフラを中国に握られてしまったのです。

ひとつは〝電力〟、つまり原発ですね。

イギリスでは原発の歴史が最も古く、老朽化した原発が多いのですが、北海油田が発見されて以来、原発建設はスローダウンとなり、主要国で最も早く電力の自由化を進めたため、イギリス企業による原発建設をやめてしまいました。ところが、北海油田の急速な縮小とイギリス政府が２０５０年までに温室効果ガスの純排出量をゼロにする目標を掲げたため、原発が見直され、２００８年１月の「原子力白書」で、新規原発電建設の推進を決め、国内５カ所で海外資本をベースに建設計画が進んでいます。

新規発電所建設の第一弾として建設されているサマセット州のヒンクリー・ポイントC原子力発電所は、当初、フランス電力会社（EDF）が80％とイギリスのセントリカ社が20％を出資した合弁会社が建設する予定でしたが、セントリカ社が2013年2月に撤退したため、2016年9月中国広核集団有限公司（CGN）が資本参加することになり、CGNが資金の33・5％を、EDFが66・5％を拠出し提携しました。

ヒンクリー・ポイント原子力発電所

他の4基のうち2基は、日本の東芝と日立が請け負う計画が進められていましたが、いずれも撤退したため、4基ともに仏中合弁で建設する予定です。ただ前に述べましたように、イギリス政府は5Gからファーウェイ排除を決め、香港、新疆ウイグル自治区での人権問題などでの中国の対応に不満を募らせているだけに電力供給を中国企業に依存する懸念が広がっています。
国家の根幹に関わる原子力事業に中国を参加させたことから、保守派からは「経済のためにイギリスのプライドを捨てた」と批判の声が高まり、メイ前首相時代から、事業の最後の管理をイギリス政府が行う形にして、中国に丸飲みにされてしまうのを避けようとしています。

もうひとつ、イギリスが中国に握られてしまったインフラが〝情報通信網〟です。イギリスはもともと4つある主な電話会社のインフラ機器がすべてファーウェイ製でした。アメリカはトランプ政権の時に、ファーウェイ機器を通じて中国政府がスパイ活動やサイバー攻撃を行う安全保障上の懸念から、同盟各国に同社製品の排除を要請しましたが、イギリスではファーウェイを排除すると通信インフラが成り立たなくなり、排除を進めるファイブ・アイズとしての連携も優先しなければならず、苦境に立たされました。

4つの携帯電話各社が約15年前から同社製品を導入して、現行の通信規格「4G」基地局でファーウェイ機器の使用が浸透しています。それを次世代の5Gに切り替えるタイミングで全面排除すると、コスト高や整備の遅れを招く恐れがあります。そのため、この問題に関してはメイ政権時代から苦渋の選択を迫られ、２０１９年には、ファーウェイ製品の一部採用を認めるとする国家安全保障会議（ＮＳＣ）の協議内容への不満から、この内部情報を英メディアに漏洩したとして、ギャビン・ウィリアムソン国防相が解任される騒動まで起きています。ウィリアムソン氏本人はリークを否定していますが。

その直後、当時ロンドン支局長として、「ナンバー10（英首相官邸）」の記者会見で「ファイブ・

アイズ主要国としてファーウェイを排除しないのか」と質問すると、広報担当職員が「これには複雑な事情がある」と回答し、この職員から会見後、直ちに「即断できない困難な背景」と題する資料が大量にメールで送られてきたことを覚えています。

ギャビン・ウィリアムソン

当時のイギリスにとってファーウェイ排除の問題は、数年にわたって論争が繰り広げられていた微妙な問題だったのです。

馬渕：なるほど。アメリカほど簡単ではないということですね。

トランプ落選でイギリスはファーウェイ排除をやめるのか？

岡部：そうした事情もあってジョンソン政権は2020年1月、5Gにおけるファーウェイ機器の使用上限を35％に抑える条件付きで容認する方針を示しました。西側諸国としての連帯と国益の狭間で苦しい選択でしたが、イギリスがアメリカの圧力に抵抗し、中国に配慮して寄り添ったとも受け止められました。

そんなイギリスの対中姿勢が大きく変わったのが、中国の〝情報隠蔽〟で世界に広がったコロナ禍と、香港の一国二制度を覆す国家安全法の導入です。覇権志向を強めて現状変更して世界秩序を破壊する全体主義の中国共産党の「正体」を見破り、イギリスは〝反中〟に政策転換しました。『フィナンシャル・タイムズ』紙は、コラムで「英中黄金時代の終焉」と報じました。

２０２０年7月14日、イギリス政府は国家安全保障会議を開催し、5G通信網におけるファーウェイの限定的な使用方針を転換し、２０２７年までに完全に排除することを決めました。２０２１年以降、ファーウェイ製品の新規購入も禁止しています。

当初は２０２３年までにファーウェイの排除を目指す予定でしたが、それほど早く切り替えることは困難ということで２０２７年まで延長されました。中国側が巻き返したというよりも、現実的に排除するには莫大な時間と労力がかかるということが判明したので、期限を延長したということです。それほど中国が時間をかけて欧州の主要国である英国の通信インフラに巧みに深く侵入していたことは脅威に感じました。

この発表の2日前、7月12日にジョンソン首相は、『イブニング・スタンダード』という夕刊紙で初めて中国を「潜在的敵国」と呼び、「潜在的敵国の企業に我が国の重要インフラを支配されるのはまっぴら御免だ」ということを言っています。この夕刊紙は無料で配られているので、ある意味、非常に影響力のある新聞なんですが、そこでそういう発言をしたんですね。

日本では「大統領選でトランプ大統領が再選できなければ、イギリスはファーウェイに揺り戻す」などと推測している人もいましたが、ジョンソン政権で政策担当に関わっている知人によると、完全排除の政策転換は、「ジョンソン首相が強い意志を持って決断したので、米政権が変わろうと揺るぎない。そもそもバイデン政権も、ファーウェイ排除の方針は変わらないからだ」と説明しています。

ジョンソン首相の決断の背景には、トランプ政権の強い意向のほかに、EU強硬離脱派から反中派に鞍替えした保守党内の〝身内〟の議員たちの影響があった側面は否めません。

馬渕：イギリスの国益を考えて、ジョンソン首相はファーウェイの完全排除をよく決断できたと思います。親中派まみれの日本政府がこのような決断をできるのか、いささか心配になります。

岡部：そうですよね。彼自身も中国利権の恩恵にあずかっていましたから。ロンドン市長時代には、ロンドンと北京の相互協定を締結していますし、外相を務めていた際は、「イギリスは親中」と発言したこともあるくらいですからね。

こうした彼の中国コネクションには注意も必要です。少し懸念しているのは、英国が中国の行動や政策への痛烈な批判をエスカレートさせるなか、ジョンソン首相は、「英国にも英政府にも、軽々しく中国嫌悪に傾いて欲しくない」と議会で軽率な中国嫌悪に警鐘を鳴らしたことです。そして「バランスをとらなければならない」と中国への警戒を怠ってはならないが、二国間関係は維持すると述べていることです。

ラーブ外相を中心に保守党の反中議員やオーストラリア議会や米議会から、ウイグル族に対する人権侵害をめぐり、2022年北京冬季オリンピックのボイコットを求める声が高まるなか、ジョンソン首相はボイコットに否定的な姿勢を崩していません。

人権侵害や過剰な海洋進出の中国には反中包囲網を作って警戒はするが、経済では良好な関係を維持していく、というしたたかな宰相の一面も見せています。

日本のファイブ・アイズ入りを阻む〝親中派〟という足かせ

岡部：イギリスがファーウェイの完全排除を発表した2020年7月14日付の英『タイムズ』紙は、2021年初めに、クイーン・エリザベスを中核とする空母打撃群が日本の海上自衛隊とアメリカ海軍第七艦隊との合同軍事演習に参加し、アジア太平洋地域に常駐配備される計画（第2章参照）が進められていると報じています。当時はちょうど中国がコロナ禍に乗じて香港や南シナ海、中印国境で力による現状変更の暴挙に出ていた時期だったので、この報道を通じて中国を牽制する狙いがあったことは明らかです。

馬渕：その前日にはアメリカのマイク・ポンペオ国務長官が中国の南シナ海への海洋進出にクギを刺す演説をしていましたね。[※1]「南シナ海における中国の主権は認めない」と。

日本ももっと本気で脱中国を進めないといけません。安倍政権時代には、アメリカからはっきり名指しで政権中枢の親中派、というか「媚中派」の存在が批判[※2]されていましたからね。

こんな有様では日本のファイブ・アイズ入りどころの話ではありません。明日にでも中国の漁船・漁民が尖閣諸島に上陸した場合、日本政府はどう対応するのか、そういうことがまさに今問われているわけですよ。

つまり、中国を早く排除しないと日本はもう生存できないということですね。せっかくイギリスが日本に向いてくれているのに、中国との関係を切れない日本はやっぱりダメだということになりかねません。だから、本当に今が日本にとっての正念場なんですよ。

岡部：おっしゃる通りです。そもそも日本をファイブ・アイズに招いて「シックス・アイズ」

にしようという気運が高まったのも、対中国の問題で利害が一致するからです。２０２０年７月にトマス・トゥーゲンハットという保守党議員が河野防衛大臣（当時）にオンライン会談で日本のファイブ・アイズ参加を呼びかけたのも、保守党でファーウェイ排除など反中政策を主導する「チャイナ・リサーチ・グループ（ＣＲＧ）」のオンライン勉強会でのことでした。

トニー・ブレア

日本のファイブ・アイズ参加には労働党のトニー・ブレア元首相も賛同しています。ブレア元首相は産経新聞のインタビューに、習近平国家主席のもとで中国が「ここ数年間でいっそう権威主義化した」と危機感を示し、「『ファイブ・アイズ』と日本は中国問題で共通の利害で結ばれており、（日本が参加する）十分な論拠がある」として、日本とも情報を共有す

※１：２０２０年７月13日、ポンペオ国務長官は「南シナ海の海洋主張に対するアメリカの立場」と題する声明を発表し、中国の海洋権益に関する主張は完全に違法と非難した。

※２：米政策研究機関のＣＳＩＳ（戦略国際問題研究所）が「China's Influence in Japan」（２０２０年７月23日）という報告書の中で、日本（当時安倍政権）の対中政策を親中方向に導く存在として自民党幹事長の二階俊博や内閣官房参与の今井尚哉、公明党・創価学会、外務省チャイナスクール等を名指しで批判した。

べきだとの認識を示しました。

つまり、日本を「ファイブ・アイズ」に参加させる構想は、イギリスでは保守党のみならず労働党からも超党派の支持を集めているというわけです。それはイギリスのメディアでも党派性を超えた論調になっているので、今や「シックス・アイズ」はイギリスの〝国論〟になっていると言っても過言ではありません。

ある意味、好戦的になった中国側の「戦狼外交《せんろう》」が、日本を「シックス・アイズ」に導いてくれているともいえます。

情報大国のイギリスが日本をファイブ・アイズに入れてくれるというのだから、断る理由はどこにもありません。馬渕大使のおっしゃる通り、あとは日本側の〝覚悟〟と〝姿勢〟の問題が大きいんですよね。

サイバー空間の安全保障も「新・日英同盟」で対処せよ

――イギリスでは中国の影響力はかなり弱まっているのでしょうか?

岡部：イギリスでも日本と同様、経済界に中国マネーが浸透しています。「英中黄金時代」の終焉で、影響力は弱まりますが、政権内部にもオズボーン元財務相のように中国と繋がりすぎた人物も多くいるので、中国の影響を完全に遮断するのは難しいんですね。

モノづくり大国を維持しているドイツはもっとひどいです。フォルクスワーゲンの世界販売の４割が中国ですから。「媚中派」と言われるアンゲラ・メルケル首相は、中国の市場を失うことを恐れてか、香港の人権問題で沈黙を続けてきました。

ＷＴＯ協定を順守しない中国の不公正な貿易慣行の是正には、米国を含めた多国間の協調で対処することが望ましいでしょう。

アンゲラ・メルケル

ところが、ＥＵが２０２０年の暮れも押し迫った12月30日、中国と投資協定で合意しました。米国のバイデン政権による「足並みを揃えよう」との制止要請を振り切り、中国の人権侵害問題を置き去りにして産業界の求めに応じて議長国だったメルケル首相が駆け込みで合意しました。

「対中政策で米国と一線を画す」と公言するメルケル首相は、米国との温度差を隠していません。メルケル首相はじめＥＵ

は、国内が分断する米国のバイデン政権主導では国際秩序が復活する可能性が低いとみているからです。

明らかにドイツが主導するEUは、対中スタンスが米英と異なります。

EUでも東欧もハンガリーなどは、一帯一路で中国から投資を受けている国もあります。唯一、圧力と脅迫を強める中国に屈せず、毅然《きぜん》とした態度で反中姿勢を貫いている国は上院議長が台湾を訪問したチェコぐらいですよ。

馬渕：中国は一帯一路について、「一帯」は「シルクロード経済ベルト」、「一路」は「21世紀海上シルクロード」を指し、中国から中央アジア、ヨーロッパ、アフリカ大陸にまたがる巨大経済圏構想だと説明しています。大言壮語が得意な中国らしい発想ですが、カネの力でインフラ開発に飢えている諸国を騙そうという魂胆が見え見えですね。

ところが、そんな大言壮語の怪しい構想であるにもかかわらず、背に腹はかえられないのか、アジア、アフリカのみならずヨーロッパの国でも高い金利のチャイナマネーに引っかかって、返済が不能になり、担保とした港湾施設などを中国に事実上奪われてしまうケースが頻発しています。

まあ、中国と付き合いの長い日本でも、経済界や政治家の中には中国の大風呂敷にコロッと騙される人が後を絶たないわけですから、中国から地理的に離れたアフリカやヨーロッパ諸国が騙されるのは仕方ない面があるのかもしれませんね。

岡部：EU加盟国が今回のコロナ禍を経て中国からいかに離れていけるかがポイントだと思います。中国はコロナ禍でおとなしくなるどころか、ますます暴走していますからね。

いずれにしても、今のイギリスの「脱中国」の覚悟は相当なものです。

保守党には「ヨーロピアン・リサーチ・グループ（ERG）」という、ブレグジットを実現させたサッチャー首相以来の保守本流の議員グループがあるのですが、その顰《ひそみ》にならって、「チャイナ・リサーチ・グループ（CRG）」と名付けて中国政策を全面的に見直そうという議員の集団がこぞって反中の旗を振っています。先ほど名前が出た、河野総務相が防衛相時代にオンライン勉強会に参加したというグループですね。ジョンソン首相にファーウェイの完全排除へと政策転換させたのも彼らの圧力が大きかったと言われています。

ファーウェイ排除ではフランスやオランダ、北欧もイギリスに続きましたし、これから欧州全体に脱中国の動きが一気に広がると思います。

馬渕：イギリスもファーウェイの代わりにNECなどの日本企業と5Gを進めていこうとしていますからね。ファーウェイ排除についてはイギリスの決断が分水嶺になったと思います。

岡部：おっしゃる通りですね。面白いことに、イギリスが正式にファーウェイ完全排除を発表した2日後（7月16日）には、イギリス政府関係者が東京で日本の国家安全保障局（ＮＳＳ）や内閣サイバーセキュリティセンター、そして関係各省の担当者と会合を開き、日本政府に対して5Ｇの通信網作りで協力を要請しているんですよ。

この時、イギリス政府は、ＮＥＣや富士通がファーウェイに代わる調達先になる可能性に触れて、両社の技術やコストの競争力を高める支援を要望しました。日本政府も、日英企業間で協力を深めていく必要があると、「脱ファーウェイ」で連携することになりました。この動きもアメリカも支援するようです。

ファーウェイを完全排除すると、基地局（アンテナ）などを使用する通信会社は代替機に取り替える必要があります。イギリス政府は、2億5千万ポンド（約350億円）を投じ、柱のひとつとして日本のＮＥＣとの協力で西部ウェールズを拠点に2021年2月から、「Open RAN（オープンラン）」と呼ばれる技術を使った5Ｇの通信網構築に関する実証実験を始めています。ＮＥＣは2020年11月、英国内に5Ｇ拠点を新設して、この技術を世界展開する予定です。

一方、経済産業省も2023年度の実用化を目指して、700億円の支援策を発表しました。日本にとっても、経済安全保障を図り、技術開発をめぐる国際競争に参戦するまたとないチャンスになります。ファーウェイを凌駕《りょうが》する「日の丸５Ｇ」を開発して、サイバー空間の通信安全保障でも「新・日英同盟」で「脱ファーウェイ」に対処すべきでしょう。

中立国のスウェーデンも孔子学院を封鎖した

岡部：国によって温度差はありますが、暴走する中国への不信と警戒はヨーロッパで確実に広がっています。新型コロナのパンデミックと香港問題などを経て、中国に対して〝目が覚めた〟のはイギリスだけではありません。

たとえばフランスも２０２０年４月中旬にエマニュエル・マクロン大統領が『フィナンシャル・タイムズ』紙に「中国が新型コロナウイルスの流行にうまく対処していると、バカ正直に言ってはいけない」と述べ、中国政府の責任を明確に指摘しました。

訪中を繰り返し、「親中派」と目されるドイツのメルケル首相でさえ、中国の隠蔽体質に異議を唱えました。２０２０年４月20日の会見で「中国がウイルス発生源に関する情報をもっと開示していたら、世界のすべての人々が学ぶ上で、より良い結果になっていた」と述べ、初めてコロナ禍における中国の対応に疑問を呈しました。

北欧で第二次世界大戦を通して中立を守り通したスウェーデンは、対中感情が一気に悪化しました。中国共産党の批判書を扱い閉店に追い込まれた香港の「銅鑼湾《どらわん》書店」をめぐる問題が起こった時のスウェーデン政府やジャーナリストに対する中国の威圧的な態度が原因です。中部ダーラナ地方などの自治体が、武漢など中国との姉妹都市関係を打ち切り、スウェーデン政府は中国政府が出資する孔子学院※もすべて閉鎖しました。

その元凶は、駐スウェーデン大使の桂従友氏です。桂大使は、2017年8月に大使就任以後、スウェーデン市民、報道機関、治安機関にも攻撃・威嚇《いかく》を加え、その回数は数十回にも及ぶ「戦狼外交官」ぶりで、中国を批判するスウェーデンメディアと中国政府の関係を「100ポンド（45kg）のボクサーが190ポンド（86kg）のボクサーに挑戦するようなもの」と例え、スウェーデンメディアに強硬措置をとる可能性を示唆しました。アン・リンデ外相は、「容認できない脅し」と批判し、桂大使を呼び出して、懸念を伝えています。

金融を通じて中国との関係が深かった永世中立国のスイスでも、議会が「首尾一貫した対中戦略がなければ、中国政府から自国の利益と価値観は守れない」として、対中戦略の見直しを要求しました。スイスではこのような声が噴出しているので、やはり中国から距離を置き始めているわけです。

こうした中国を警戒する動きを受けて、ＥＵの欧州議会も、中国による香港の国家安全法の制定に対して批判決議を行い、ＥＵと加盟国に、中国政府を国際司法裁判所に提訴することや経済制裁を科すことを求めました。

また、中国による新疆のウイグル族など少数民族に対する「強制労働」についても非難決議を採択しました。

新疆ウイグル族に対する人権弾圧を熱心に報じる英ＢＢＣ放送は２０２１年２月には、「再教育」施設に収容されたウイグル人女性らに対し、性的暴行や虐待、拷問が組織的に行われていたと女性らの証言をもとに報じたところ、フィンランドのサンナ・マリン首相はツイッターで、「国際社会は目をつぶるわけにはいかない」と批判し、アダムズ英外務閣外相はＢＢＣの報道が「悪魔の所業を明らかにした」と指摘し、国際的調査の必要性を唱えました。さらにウイグル人弾圧を「ジェノサイド（民族大量虐殺）」とみなすバイデン米政権の国務省報道官も

※**孔子学院**：中国政府が中国語教育の国際化と、中国文化の紹介のために世界各国の大学などに開設した教育機関。しかし、その実態は中央統一戦線工作部（中国共産党中央委員会直属の情報機関）指揮下の世論戦宣伝（プロパガンダ）機関とされ、アメリカのポンペオ国務長官からは「中国共産党の世界的なプロパガンダ機関の一部」と名指しで批判された。

国際的調査を求めるなど世界的な反響を呼びました。

中国外務省の報道官は「組織的な性的暴行や虐待はまったく存在しない」と否定しましたが、国際的調査を拒む中国の頑《かたく》なな姿勢に批判が集まり、2021年3月22日、米国、英国、カナダと欧州連合（EU）は足並みを揃え、ウイグル人への不当な扱いが人権侵害にあたるとして中国政府当局へ共同制裁しました。欧州における中国離れをさらに加速させる大きな要因になりました。ウイグル人権問題以外でも欧米は対中国で、共同歩調をとるべきです。

チェルノブイリ原発事故に匹敵する中国の情報隠蔽

馬渕：ところで、世界のメディアや政府は「新型コロナウイルス」という用語を使っていますが、私は本来「武漢肺炎（ウイルス）」と呼ぶべきだと思います。

このウイルスが中国の武漢市から発生したことは、世界に明らかになっています。もし、このウイルスが武漢での自然発生的なものであったのなら、中国共産党当局は発生事実を隠蔽したり、告発した医療当局者を拘束したりする必要はなかったわけですからね。中国当局の初動の不透明な対応が、疑惑を生むことになったんです。「新型コロナウイルス」だと、そんな中国当局の意向を忖度して、このウイルスの出自と特殊性を隠すことに繋がり、人々に誤った印象を与える恐れがあります。

さらに言うなら、このウイルスの呼称問題は国際政治上の権力闘争の一環でもあるんです。WHO（世界保健機関）の動きを見れば、それがよくわかります。

そもそも国際機関というものは各国のエゴから独立して中立・公平の観点から加盟国間の協調を図ることを目的としています。

でも、そんなものは〝建前〟にすぎません。

今回の武漢肺炎危機に対するWHOの対応ぶりを思い出してみてください。発生当初の2019年12月からWHOは中国当局の肩を持って、人から人への感染は確認されていないとして、軽率に大騒ぎしないように戒めていました。

テドロス・アダノム

テドロス・アダノム事務局長は2020年1月に中国を訪問したにもかかわらず、発生地の武漢は訪問していません。北京で習近平主席以下関係者と会談しただけで、中国当局の対処ぶりを称賛しています。

その後、感染が中国から世界各地へ拡大していった時点でも、テドロス事務局長は「パンデミックではない」と言い続けました。1月末にアメリカが中国からの入国を全面的に禁止した際は、「適切でない」と中国を擁護したほどです。ようやく、3月初旬に習近平主席が武漢を訪問してウイルス抑え込みを発表した後、世界に対しパンデミック宣言を発出したんです。中立・公平な国際機関の役割をまったく果たしていません。

このようなWHOの中国寄りの姿勢に反発したアメリカのトランプ大統領は、「中国ウイルス」と表明して、中国に対し情報の開示を要求しました。

また、WHOに対しては、拠出金を停止し、5月のWHO総会の機会をとらえて、「WHOが1カ月以内に改善されなければ脱退することもありうる」と警告したんです。

中国がこのようなトランプ大統領の姿勢に抗議して、トランプ批判を強化していたことは記憶に新しいところですよね。

このトランプさんの姿勢を見てもわかるように「明らかに中国の責任でパンデミックを引き起こしたウイルス」をどう呼ぶかという問題は、単なる呼称の問題ではありません。米中貿易戦争と同様、武漢肺炎後の世界の主導権をめぐる〝仁義なき戦い〟なんです。

岡部：私も便宜上「新型コロナウイルス」と呼んでいますが、馬渕大使のおっしゃる通り、武漢から世界に広がったのは確定した事実なので、本来「武漢ウイルス」と呼ぶべきです。やはり中国に配慮しすぎるＷＨＯの責任は小さくありません。

ちなみに、ＭＩ６の長官を２００９年から２０１４年まで務めたジョン・サワーズ氏も、ＢＢＣに対して、新型コロナウイルスの感染拡大の重大な情報を隠蔽していた中国政府の責任を追及すべきだと強く訴えていました。彼は「ＷＨＯではなく中国の責任を問うべきだ」と主張し、「我々（西側）全員が中国の虚偽情報によって損害を被る一方で、当の中国はウイルスを発生させた事実や発生初期対応を怠ったことについて当然負うべき責任から逃れている」と中国政府を批判しています。また、「他国や当事者が隠蔽している情報を入手するのが情報機関の仕事であり、12月と1月の短期間に、ウイルスが確実に発生しながらも、中国がその事実を隠蔽していることを我々は突き止めている」とも言っています。

イギリスのマスメディアも、中国の隠蔽体質については厳しく批判し続けてきました。たとえば、かつてジョンソン首相 が在籍していた『デイリー・テレグラフ』紙のコン・コフラン記者は「武漢での感染発生に対する中国共産党の透明性と協力が欠如した対応は、世界中の国々との根本的な信頼を侵害した」として、中国の情報隠蔽がパンデミックの原因だったと批判しています。そして、被害者を演じる中国の無責任な対応が、「多くの人命が失われる危機を招き、第二次世界大戦以来最悪の世界不況を招いた」とも指弾していました。他にも、中国マネーに目がくらんだ親中政治家を批判して、中国依存の脱却、重要産業の国内回帰を訴えたり、中国をロシアと同様、イギリスの安全に最大の脅威をもたらす敵対的国家として警戒すべきだと説いたりしています。

先ほど名前の出たパッテン卿（イギリス最後の香港総督）も、「中国政府は、ウイルス発生源の特定や、発生の初期段階で何が起きたかの調査について、国際協力を拒んだ。現在も真相を隠し続けている」と、中国のコロナ禍における不適切な対応に疑念を抱いていました。

キャメロン内閣で親中政策を主導したオズボーン財務相の特別顧問だったニール・オブライエン議員も、中国の情報隠蔽に関して、「インパクトはチェルノブイリ原発事故に匹敵する」と指摘していました。

コロナ禍で明らかになったグローバリズムの危険な一面

馬渕：結局のところ、武漢肺炎禍をきっかけに、今まで水面下で起こってきた「グローバリズムとナショナリズムの闘争」がいよいよ顕在化してきたということです。

グローバル市場化というのは、諸国間の「相互依存関係の深化」だと言い換えることができます。これまで私たちは、その相互依存の良い面しか見てきませんでした。メディアをはじめとして、政治家や経済界の人々は、相互依存の良い面だけを口実に、グローバル市場化を推進してきたわけです。

相互依存には確かに良い面もありますが、同時に危険な面が背中合わせにあります。でも、その危険な面は隠されてきたのです。ディープ・ステートが仕掛けたポリティカル・コレクトネスによる〝言葉狩り〟でね。

ようは、今回の武漢肺炎禍でその危険な面が一挙に噴出したということです。

たとえば、もうすでに反省や見直しが行われていますが、中国の改革開放路線※を鵜呑《うの》みにして、東西冷戦終了後製造工場などを安価な労働力が豊富な中国に移転した結果、欧米諸国や日本においては製造業の空洞化が起こりました。

※改革開放：１９７８年に鄧小平が中心となって進めた近代化政策の総称。経済を立て直すため、農業の生産意欲を高める生産責任制の採用、海外の技術・資本を積極的に受け入れる経済特別区の設置、企業の経営自主権の拡大などの改革を通じて、市場経済への移行が推進された。

今や、多くの工業製品の供給を中国に進出した自国企業からの輸入に頼らざるを得なくなってしまったわけです。いわゆるサプライチェーン（商品や製品が消費者の手元に届くまでの、調達・製造・在庫管理・配送・販売・消費などの一連の流れ）の問題ですね。

我が国のメディアでは、中国での武漢肺炎感染拡大の結果、中国の工場で生産した部品が入ってこなくなって、日本でも自動車工場をはじめとした生産が制約を受けるということが大きく報じられていますが、これは本当のところを報じていません。

中国の工場が作った部品が入ってこないということではなくて、中国に進出した日系企業からの部品が入ってこないというのが実際のところです。しかし、新聞やテレビなどのメディアは日本企業の中国進出のマイナス面を報じるのを避けるために、この点を誤魔化して読者や視聴者を洗脳しているんです。

武漢肺炎禍は、そういうグローバルな経済の在り方というものを見直す契機になりました。すでに、日系企業の中には工場を中国から東南アジア諸国に移す企業が出てきています。さらに、工場を日本に回帰させる動きも出てきており、政府もこのような企業に対する支援策を検討しています。

日本の経済界は、東日本大震災の際にも、一部の部品などの供給先が被災地域に集中していたため、しばらく供給が滞《とどこお》り、生産活動の停止を余儀なくされる苦い経験をしました。本来であればその時点で供給先集中のリスクを学び、供給先を分散しておく必要があったのですが、それができていなかったことが今回の武漢肺炎禍で露呈したわけです。

安易に中国に工場を移転することや、生産拠点を集中させることがいかに危険であるかを知ったわけですが、その授業料はたいへん高くついたんじゃないでしょうか。

岡部：その通りです。中国依存のサプライチェーンの見直しは、日本にとって急務です。政府は、企業が中国拠点を国内に回帰させるか、第三国への移転を後押しする費用として、総額2435億円を緊急経済対策に盛り込みました。

付加価値の高い戦略産業については、その生産拠点を国内に回帰させ、英米をはじめとするファイブ・アイズの国々と連携して多元化すべきです。中国に依存していたレアアース（希土類）の調達先を、フランスやベトナムなどに広げ、アメリカやEUと連携して中国の独占体制を切り崩した経験を生かしたいところですね。

イギリスの場合、コロナ禍における医療品などの調達で、戦略的に重要な71製品を中国に依存していることが明らかになりました。そのため、ジョンソン首相は、中国依存のサプライチェーンを大幅に見直して多様化に乗り出しました。

先ほども話題に出た通り、EUから抜けたイギリスは、ヨーロッパ以外の各国と自由貿易協定（FTA）を目指して通商交渉を始めたのですが、TPP入りを見据えて日本との経済連携協定（日英EPA）を最初に締結しました（第2章参照）。ベトナムなど、サプライチェーンの移転先候補国があるからです。イギリスは日本と協力しながらTPPを活用して〝脱中国〟を進めようとしています。

AIIBの目的は、外国のカネで在庫処分と失業対策⁉

馬渕：日本の場合、〝脱中国〟を進めるにあたって気をつけなければいけないのが、中国の〝微笑外交〟です。

中国は日本に対して〝威圧外交〟と〝微笑外交〟を使い分けています。

特にトランプ政権時代にはそれ以前の恫喝的な威圧外交を改めて、友好的・協調的に日本に接する微笑外交を展開してきました。

その背景には、当時トランプ政権の中国敵視政策に基づく、いわゆる米中貿易戦争などを抱えていた中国の生き残り戦略があります。

もっとはっきり、具体的に言うなら、中国の推進するＡＩＩＢと一帯一路構想に、日本のカネ（資金援助）がどうしても欲しかったという〝裏事情〟があったわけですね。

――先ほども少し触れていただきましたが、改めてＡＩＩＢと一帯一路の問題点について教えてください。

馬渕：ＡＩＩＢは２０１３年に習近平が創設を提唱して２０１５年に発足、翌年に開業しました。じゃあ、そもそも中国はなぜ、こんな機関を作ったのか。

中国はＡＩＩＢ創設の目的を「増大するアジアにおけるインフラ整備の需要に応えるため、アメリカと日本が主導するアジア開発銀行（ＡＤＢ）ではまかないきれない資金ニーズに対して代替的、補完的に対応すること」と説明しています。表向きにはそういうことになっているのですが、本当の動機は違います。

中国は、共産党指導部や人民解放軍幹部などの少数の特権階級と、搾取される大量の人民とで成り立っている国です。

特権階級は国のためではなく、自分や親族のための金儲けばかりを考えています。彼らは、主に不動産に投資して巨額の利益を得てきました。しかし、今や中国の不動産バブルは崩壊し始め、彼らも巨額の損失を抱えるようになりました。

そのツケを外国に払わせようというアイデアがＡＩＩＢなんです。

中国は不動産バブルを謳歌するために、国内に誰も住まない高層マンションや都市を造り続けてきました。でも、当然ですが、それはやがて限界に達します。つまり、不動産市場が一気に崩壊するということです。

景気を回復するために国内にインフラを作ろうとしたところで無理でしょう。もはや国内にインフラを必要としているところがありませんからね。だから、インフラが整っていない海外にプロジェクトを起こす以外に方法がなくなったんです。

とはいえ、バブル崩壊で損失を抱えていますから、中国には資金がありません。そこで、世界中の国からマネーを出させることにしました。その手段となったのがＡＩＩＢです。

海外から集めたマネーで、中国が国内に在庫として抱えてしまっているインフラ整備の材料を使い、中国人の労働力を使う――ＡＩＩＢとは、そういうビジネスです。

つまり、ＡＩＩＢの正体は「中国のバブル崩壊の尻拭い」なんです。

「アジアのインフラ整備」というのは、その格好の名目でした。言ってしまえば、中国のセメントや鉄鋼の在庫処分です。

たとえば、アジアのどこかにダムを造ろうとした場合、中国のセメントや鉄鋼を持っていくことになります。しかしそれは、中国国内で余った質の悪いセメントや鉄鋼を高値で買わせるということです。

しかも、そのダムで仕事をするのは、中国人労働者です。人民解放軍も多少関わるかもしれませんが、基本的にこれは中国の失業対策なんです。中国にとって失業者対策は、反政府暴動の防止策でもあります。もちろん、彼らに給料を支払うのはＡＩＩＢです。

ＡＩＩＢの加盟国は２０１９年７月に１００カ国を超えました。イギリス、フランス、ドイツといった先進国も加盟しています。

岡部：イギリスは２０１５年に主要７カ国（Ｇ７）で最初にＡＩＩＢに参加しました。当時は「英中黄金時代」のキャメロン政権で、アメリカの警告を無視する形での参加でした。

馬渕：とはいえ、イギリスは老獪《ろうかい》な国です。内部に入れば中国の情報を得やすくなるし、ＡＩＩＢの弱点を知ることになります。いざイギリスにとって都合が悪くなれば、内部から潰すために加盟したようなものです。当初はいかにも持ち出しであるかのように見せかけて、最後は利益を手にするなどお手のものです。

ヨーロッパ諸国の背後にいる国際金融資本家たちは、もともと中国の共産主義勢力と同じ価値観を持ち、中国国内のビジネスでも手を組んでいました。共産党エリートと共に中国人民を搾取してきたのです。ビジネスチャンスになると思えば、AIIBを利用するし、利用価値がなければ見向きもしないでしょう。

中国に国際機関の運営なんてできるわけがない

馬渕：そもそも中国は、「国際機関」という発想にはなじまない国です。AIIBは、かつての「中華思想」そのままのように見えますね。つまり、「中国が決めたことに、他の国々は黙って従いなさい」という姿勢です。

いまだに重要事項の決定機関である常任理事会を置いていないことからも、それは明らかです。「重要なことは総裁が決める」ということになっていながら、その総裁は中国の要人なわけですから。ようするに、中国の国家主席、現時点では習近平の意向ですべてが決まることになります。そんなAIIBが、加盟国の利益を反映した「国際機関」であるはずがありません。

日本は今のところは、アメリカとともにAIIBには加盟していません。特に、運営の公正さに疑問を感じて、慎重な態度を取り続けています。

日米が加盟しないＡＩＩＢは信用がないから活動資金となる債券を国際金融市場で売ることができません。この点が決定的に重要です。

一般に、世界銀行、アジア開発銀行など国際開発資金を融資する国際機関は、国際金融市場で活動資金を調達して、その調達コストに若干の金利を上乗せして開発途上国に融資します。したがって、調達コスト、つまり債券の利回りが低いほど、融資金利を低く抑えられるわけです。低コストでの債券発行は、その機関の信用度が高いことを意味します。

ところが、ＡＩＩＢは信用度が低いから、低金利では誰もＡＩＩＢ債を買ってくれない。高金利でしか債券を発行できないということは、ＡＩＩＢ債はデフォルト（債務不履行）のリスクが高い、いわゆる「ジャンク（くず）債」だということです。だからＡＩＩＢは自前の活動が十分にできないんです。

一方で格付けだけはアメリカの大手格付け会社ムーディーズなどが中国と結託してトリプルＡを付けています。本当にトリプルＡなら国際金融市場で安い金利で資金をすぐに調達できるはずですよ。でも、それができていない。

現在のところ、ＡＩＩＢは、ＡＤＢ（アジア開発銀行）との協調融資で細々と活動している状況です。協調融資といえば、ＡＩＩＢとＡＤＢが対等に協力し合っている姿を想像しがちですが、実態はADBの資金をAIIBが使わせてもらっているわけです。ADBが助けてあげなければ、AIIBは成り立ちません。AIIBがいずれ破綻することは明らかですね。

岡部：途上国の巨大インフラ整備を対象とした不透明、野放図な貸し付けがもたらす「債務のわな」が、国際的批判を広げてきましたが、新型コロナの世界的感染拡大が重くのしかかり、プロジェクト推進をさらに困難にしています。たとえば、2020年7月、バルト海をくぐりフィンランドと欧州を繋ぐ、中国企業集団による世界最長の海底トンネル建設プロジェクトが中止になりました。スカンジナビア半島頭頂部から欧州深部まで、交通インフラを貫通させ、北極航路活性化の切り札となる構想でした。「世界を席巻《せっけん》する潤沢なチャイナマネー」目当てに参加したものの、理事会で承認された累計融資額120億ドルのうち、実際に融資されたのは2割にも満たない。国際開発金融機関として、公平性の観点などで懸念が拭《ぬぐ》えておらず、日本が加盟するメリットが乏しいようです。

「一帯一路」で国が滅亡していく!?

馬渕：私がいろいろな機会でよく名前を挙げる人物のひとりにジャック・アタリというフラン

スの経済学者がいます。欧州復興開発銀行の初代総裁や、フランソワ・ミッテラン政権（1981～1995）以降の歴代フランス大統領のブレーンとして活躍したユダヤ系フランス人です。もっとはっきりいえば、世界のユダヤ社会の重鎮のひとりであり、知識や思想の面でグローバル市場化勢力（ディープ・ステート）をリードしている人ですね。

その彼が『21世紀の歴史』（林昌宏・訳、作品社、2008年）という著書の中で、「21世紀初頭は、市場の力が世界を覆っている」とした上で、「行き着く先は、国家も含め、障害となるすべてのものに対して、マネーで決着をつけることになる」と喝破しています。

また、アタリは『国家債務危機』（林昌宏・訳、作品社、2011年）という著書では「国家の歴史とは、債務とその危機の歴史である。歴史に登場する、様々な都市国家・帝国・共和国・独裁国家も、債務によって栄え、債務によって衰退してきた」とも指摘しています。

この彼の言葉の持つ意味を本当に理解した人はそう多くない、あるいは理解していても隠している学者なり評論家なり知識人が多いのではないかと思われます。

ようするにアタリは、「結局、国家というものも、マネー

ジャック・アタリ

を供給する私人（中央銀行やその株主の国際金融資本家たち）に依存している」と公言しているんです。「マネーで決着をつける」とはつまりそういうことです。前の話題でも出てきましたが、通貨発行権を持っている世界各国の中央銀行は〝国有〟ではなく〝私有〟ですからね（第1章参照）。各国が財政赤字に悩まされている理由も、この「アタリの法則」を踏まえればよくわかります。

岡部：なるほど。それは、なかなか面白い法則ですね。

馬渕：そんな「アタリの法則」を対外政策として実行してきたのが、中国共産党政権なんです。習近平主席が提唱した「一帯一路」構想では、共産党政権そのものが資金の貸し手となって、イタリアやギリシャをはじめとするＥＵ諸国や、スリランカ、パキスタンなどのアジア諸国、そしてアフリカ諸国まで参加国を拡大してきました。

中国はインフラ建設などのために高利で参加国にカネを貸し、カネを借りた国や地域は一時的に経済が発展したり景気が良くなったりするわけですが、やがて債務が返せなくなると、投資先の港湾施設などを中国に借金のカタとして「租借」という形で獲られてしまいます。そして、ゆくゆくは国家の主権まで失うという状況が現に起こっているわけです。

たとえば、パキスタンのグワダル港建設プロジェクト（中国・パキスタン経済回廊の中核プロジェクト）を見ると、中国と結ぶ高速鉄道や高速道路建設が頓挫しており、同港の高級ホテルもテロ集団に襲撃されるなど、グワダル港は悲惨な状況に陥ってしまいました。パキスタンはＩＭＦ（国際通貨基金）に債務救済を求め、救済条件として中国は融資額の８割の債権放棄を求められました。

また、一帯一路の「債務のわな」の例として有名なのは、スリランカのハンバントタ港です。中国へ債務返済が不可能になったため、中国はハンバントタ港を99年間租借することになりました。

これらは象徴的な例ですが、結局、過去の歴史を見ても、国家というものは債務によって繁栄し、そして債務の重みによって衰亡しています。それは裏返せばどういうことかというと、「国家というものは、国におカネを貸す人たちの意向によって栄え、彼らの意向によって滅ぶ」ということです。

そんなマネーが支配する世界というものは、通貨発行権を私人が握ったイングランド銀行の創設（１６９４年）以来、今日まで変わっていなかったわけです。

ちなみに、一帯一路の債務以外の悪影響でいうと、今回の武漢肺炎がイタリアやスペインなどで猖獗《しょうけつ》を極めたのも、それらの国が一帯一路構想に参加して中国人労働者を大量に受け入れた結果だといえます。

岡部：中国はブルガリアを含む中・東欧諸国で、一帯一路によるインフラ整備を進め、2019年、主要7カ国（G7）として初めて一帯一路の協力覚書を締結したイタリアに、コロナ禍で医療チームを三度派遣するなど医療支援を積極的に展開しました。

一帯一路における中国の野心にも通じるところがありますが、コロナ禍で中国は、強権的なデジタル監視によって国内感染が沈静化すると、〝救世主〟として欧州を含む150カ国以上へ医薬品や医師を送る「マスク外交」を展開し、国際貢献ぶりをアピールしました。相手国との関係を強化する戦略でしたが、品質管理システムがないため、輸出したマスクや検査キットの多くは、基準を満たさない欠陥品だったにもかかわらず、フランスの中国大使館が欧州の民主主義国家の感染対策を批判して物議を醸したり、スウェーデンの中国大使が、香港に絡む人権問題をめぐり、威圧的な言動を繰り返したりする中国の強硬な「戦狼外交」を印象づけ、「影響力を拡大する地政学的野心を隠すための策略だ」（ジョセップ・ボレルEU外相）と言われるなど国際的イメージ好転には繋がらず、「マスク外交」は逆効果で不発に終わったと思います。

欧州の民間シンクタンク「欧州外交評議会（ECFR）」がEU加盟の9カ国で実施した世論調査では、「新型ウイルス危機を通じ、中国への見方が変わったか」との質問に48％が「悪化した」と回答。「良くなった」は12％でした。９カ国のうち、８カ国で「悪化した」が「良くなった」を上回りました。

「悪化した」の割合が多かったのは、デンマークとフランスが62％、スウェーデンが52％でした。一帯一路によるインフラ整備を進めているブルガリアでも、「良くなった」は22％、積極的な医療支援を受けたイタリアでも、21％にとどまりました。やはり感染対策や医療支援をめぐる透明性が欠如していたにもかかわらず、大国主義をむき出しにして民主主義国家の感染対策を貶《おとし》め、欧州の分断を図ろうとした中国の姿勢にプライドの高い欧州人が一斉に反発したのでしょう。

馬渕：当然ですね。

岡部：さらに中国は、世界各国にある自国の大使館を通じ、ビッグデータを活用した監視によって感染を封じた権威主義が民主主義より優位であると喧伝《けんでん》するプロパガンダを発信していました。そしてSNSを使って「欧米にウイルスの起源がある」という偽情報を拡散させて、世界を攪乱《かくらん》していました。

その一方で、ウイルスの発生源の独立調査を求めたオーストラリアに対して、関税などで報復措置をとる強圧的な〝戦狼外交〟を行ったわけです。

こうした中国のやり方を見て、ジョンソン首相などヨーロッパ首脳の多くは、感染源となったパンデミックを「詫びるどころか恩に着せる」全体主義の専制国家・中国の異常性と危険性に気づきました。彼らの中国への怒りは、拭い去り難いものになったという印象ですね。

中国共産党の育ての親はディープ・ステート⁉

馬渕：そもそも中国が急激に経済を発展させることができたのはなぜか。鄧小平の改革開放後、海外からの投資があったからです。

もちろん、我が国もそれこそ「バスに乗り遅れるな」と大企業のみならず中小企業も次々と中国に進出しました。中国には〝安い労働力〟が豊富にあったからです。これが日本の製造業の衰退に繋がりました。

いわゆる「グローバル化」という掛け声は、誰も反対できないような神通力を持っています。だから、「グローバル化」という〝幻想〟に、日本を含め世界全体が騙され続けてきたわけです。はっきり言ってしまえば、中国経済を成長させたのは、中国自身の力ではありません。先進諸国の企業が工場を中国に移転したからです。それらに融資したのが国際金融資本家たち、つまりはディープ・ステートでした。

外貨の大幅な流入がなければ、中国は発展途上国のままだったでしょう。なぜなら、中国には〝愛国者〟が少ないからです。

愛国者のいない国に自力の発展は望めません。中国は個人が個人の利益を追求する傾向がきわめて強い国です。１９４９年に中華人民共和国が建国されて以来、中国共産党幹部は共産党一党独裁のもと、庶民から搾取し続けて社会の頂点に立ってきました。

習近平はじめ歴代の共産党トップは、熾烈な権力闘争を得て最高位に上り詰めています。だから、トップに就いたからといって片時も安心してはいられません。寝首をかかれないように、政敵を退治し続けなければならないのです。我々日本人は、中国の権力構造そのものが、いわゆる民主主義とは根本的に違うことを理解しておかなくてはなりません。

岡部：そうですね。そこを理解している日本人はそれほど多くないと思います。

馬渕：ちなみに、習近平がとったライバル蹴落とし策は〝反腐敗キャンペーン〟でした。

〝腐敗〟はこれまた中国の文化です。腐敗に手を染めていない共産党幹部なんて、習近平自身を含め事実上誰もいません。だから、その気になれば誰でも汚職の罪を着せられるわけです。反腐敗キャンペーンで腐敗がなくなると思った者はひとりもいなかったでしょう。

反腐敗キャンペーンは、習近平にとって政敵を葬り去るための便利な口実に使われていました。この手法は独裁者の常だといえます。

ようするに、自分がやっていることをもって、他人を非難する口実に使うわけです。

この手法を覚えておけば、これから先の中国の動きが読みやすくなります。

習近平は、憲法を改正した2018年の全人代で臆面もなく、「2017年までの5年間で、横領や収賄などで立件した汚職官僚は25万4000人超」だと発表していましたが、国内の反応は当然のことながら大変冷ややかでした。

また、憲法改正についても、賛成2964票で批判票はわずか6票と発表された際、中国版ツイッター・ウェイホーには「恥知らず」といった書き込みが殺到しました。国民の多くはすでに、共産党一党独裁、習近平の皇帝的支配に嫌気がさしているというわけです。

共産党独裁政権の唯一の正統性は経済成長です。ともかく金儲けの機会が増えたことで政権に対する批判が深刻になることはありませんでした。ところが、先に述べたように、経済成長に急ブレーキがかかっているのです。

ソ連が崩壊して、中国共産党政権が生き残れたのはなぜ？

馬渕：ソ連と中国は同じ共産主義の国なのに、なぜソ連は崩壊し、中国は存続したのでしょうか。これは今のロシアと中国の違いを理解する上でも、重要なポイントです。

ソ連にあったのは「天然資源」でした。

だから国際金融資本家たち（ディープ・ステート）はソ連が解体された後、ロシア経済の民営化を策するとともに、彼らの仲間を財閥に仕立て上げ、石油や天然ガスを所有させて、その権益を共有しようと企んだんです。この流れに乗って、民間の企業家がたくさん生まれました。

岡部：「オリガルヒ（新興財閥）」ですね。私がモスクワに駐在した20世紀末のエリツィン時代末期に台頭し、クルムリンに様々な影響を与えてロシアの政策を牛耳っていました。

馬渕：そうです。彼らのほとんどはユダヤ系でした。

一方、中国にはソ連のように奪うべき天然資源がありませんでした。資源と言えるのは「安い労働力」だけです。だから国際金融資本家たちは共産党の一党独裁体制を残して、中国を世界の工場化したんです。

共産党の一党独裁体制は国際金融資本家たちにとって、とても便利な仕組みでした。民主主義が確立している国、たとえば日本などでは、工場用地を手に入れるにも法律に基づいた面倒な手続きが必要です。

しかし、中国では、共産党のサジ加減ひとつでどうにでもなります。もともと土地の所有権は政府にありますから、政府が貸している土地を強制的に収用することは簡単ですし、工場廃液などで環境汚染を起こしても、政府が住民を黙らせてくれます。こんなに都合のいい国はありません。

つまり、国際金融資本家たちにとって、中国を民主化することは、損にはなっても得にはならないわけです。だから共産党支配を温存したんです。

中国経済は米中貿易戦争で崩壊寸前だった⁉

馬渕：こうして世界の工場になった中国には、世界中から投資が集まり、発展を続けました。すると何が起こるか。当然、労働者の賃金が上昇します。結果、中国はもはや、労働力の安い国ではなくなりました。その一方で、中国の製品の質はお世辞にも良いとは言えません。

ですから、「安い労働力」という魅力がなくなった中国から多国籍企業が撤退していくのは、当然の流れですよね。そうなると、中国の経済成長にストップがかかり始めます。

そこに追い打ちをかけるように登場したのが、アメリカの〝ナショナリスト（愛国者）〟であるトランプ大統領です。トランプさんはこれまでディープ・ステートが築き上げた国際秩序はアメリカ国民にとって不利であるとして、グローバリズムに反旗を翻してきました。

トランプ大統領の公約のひとつは、「アメリカ産業の復活」です。選挙期間中から「中国からの輸入関税を45％まで引き上げる」と宣言していました。

トランプ大統領の就任当初、米中間の輸入額と輸出額では4倍ほどの開きがでていました。当然、アメリカが対中貿易赤字です。中国はアメリカにモノを売って一方的に儲けてきたのに対して、アメリカの対中貿易赤字は、２０１７年実績で約３６８４億ドルでした。

岡部：当時アメリカの対中貿易赤字は膨らんでいく一方でしたね。

馬渕：ええ。「赤字の分だけ米国労働者の仕事が奪われている」というのが、トランプの考え方でした。そして、２０１８年3月に「どの国のものに対しても例外なく、鉄鋼に25％、アルミに10％の関税をかける」という大統領令にトランプが署名したことから、「米中貿易戦争」と呼ばれている戦いが始まります。

米中貿易戦争は、「関税合戦」としてエスカレートしていきました。しかし、アメリカが中国からの輸入関税を上げるのに対抗して、中国側がアメリカ製品の輸入関税を上げたところで、どうにもなりません。かえって、中国が痛手をこうむるだけです。

その理由は簡単です。中国はアメリカドルを担保に人民元を発行してきました。つまり、対米貿易黒字額に応じた量しか人民元を刷ることができないわけです。

さらに、中国は食糧を自給できません。なので、不足分は輸入に頼らざるを得ないわけですが、小麦や、家畜のエサとなるトウモロコシの多くをアメリカから輸入していました。これら必需品の輸入をアメリカから他の国に切り替えようとしても、すぐに十分な量を手配をするのは困難です。

それに、そもそも中国の対米輸入額が少ないので、アメリカの関税アップに対抗して報復しようとしても、ターゲットにできるものが限られています。

ようするに、米中貿易戦争は、はじめから中国の〝負け〟が明白だったわけです。

国際金融資本家と多国籍企業の多くは、当然こうした流れを早くから読み、中国から投資を引き揚げていました。あのままトランプ政権が続いていれば、中国経済は完全に崩壊していたはずです。中国はトランプ落選で文字通り「命拾い」をしましたね。

とはいえ、ジャック・アタリの〝予言〟によると「中国共産党支配は２０２５年に終わる」とのことです（『21世紀の歴史』）。まあ、その根拠は「どの政権も70年以上はもたない」というだけの話なんですけどね（笑）。

僕はアタリのことを学者としても人間としてもそれほど信用しているわけではないんですが、彼が著書を通じてディープ・ステートの今後の計画を述べているという視点でとらえると、彼の言っていることは非常に参考になります。

――中国経済が崩壊すれば、日本経済も大きなダメージを負って大混乱に陥るという心配はないですか？

馬渕：おそらく多くの日本人がそう思っているでしょうね。やはり新聞やテレビの報道に触れていると、中国と取引している日本企業がかなりたくさんあって、輸出額も相当なものだという〝印象〟が強いのかもしれません。

でも、それはあくまでも印象です。実態は違います。実際、日本の中国に対する輸出額はＧＤＰの６％程度にすぎないんです。

極論すれば、たとえ対中輸出がゼロになったとしても、我が国のＧＤＰは６％下がるだけです。

一方で、中国は日本から工業原材料を輸入しないと企業が生産を続けることが不可能になります。

ですから、いくら中国が強がりを言っても、日本からの輸入を続けざるを得ないわけです。大手メディアは「〝貿易立国〟の日本にとって、日中関係の悪化は日本側の痛手が大きい」と嘘の報道を垂れ流していますが、これが中国の工作の結果であることは容易にわかりますね。

ついでに言っておくと、日本のGDPの85％は内需によるものです。日本は決して〝貿易立国〟ではありません。〝内需主導の経済〟なんです。

特に経済界の方々には、この事実をもっと理解していただきたいと思います。いくらメディアなどが脅してこようが、私たちは正しい知識を身に着けて泰然と構えていればいいんです。日本経済が中国経済の減速の影響を受けるとしても、きわめて限定的なもので終わるわけですからね。

現代の「中国皇帝」に名乗りをあげた習近平

馬渕：2018年3月に行われた全人代では、中国の憲法が改正され、中国憲法の序文に「習近平の新時代の中国の特色ある社会主義思想」という文言が加わりました。もともと序文には

「毛沢東思想」や「鄧小平理論」という文言が入っているので、ようするに「習近平は毛沢東、鄧小平と並ぶ存在になったんだぞ！」とアピールしているわけです。

また、この時の憲法改正では「2期10年まで」としていた国家主席の再選制限が撤廃されました。２０２３年で任期を終えるはずだった習近平が、以降も国家主席を続ける可能性が生まれたということです。

この「2期10年」という任期は、そもそも〝反省〟から生まれた規定でした。「権力を集中させた結果、毛沢東が文化大革命を引き起こした」という過去の失敗を踏まえてのものです。習近平はそれをあっさりと反故にしたわけです。

とにかく、これで理論上は、習近平が死ぬまで国家主席でいることが可能になりました。まさに現代版「中国皇帝」を目指したものと言えるかもしれませんね。

そして今、習近平はアメリカに次ぐ世界第二の経済力をバックに、世界と覇権を狙う姿勢を鮮明に打ち出しています。その具体的な手段となっているのが、これまで述べてきた一帯一路構想とＡＩＩＢです。

経済分野だけではありません。中国は軍備増強も着実に進めています。近隣諸国と領有権を争っている南シナ海の南沙《なんさ》諸島を埋め立てて基地化するなど、国際法を無視した侵略行為も躊《ちゅう》躇《ちょ》していません。

中国の狙いは、南シナ海一帯を中国の「内海」にすることです。

中国は勝手に領海を広げています。この関連で、我が国にとって由々しき問題は、言うまでもなく尖閣諸島に対する中国の領有権の主張ですね。歴史的にも我が国の固有の領土である尖閣諸島を、中国は近海に石油が出ることが判明したあと（1971年）から、いきなり中国領だと主張し始めました。

我々日本人の一般的な感覚からすると、国際法上根拠のない身勝手な主張だと思いがちですが、そもそも国際法など認めない中国にとっては馬耳東風です。

尖閣周辺での日中の衝突を回避するために、これまで中国との間で様々な取り決めが模索されてきましたが、そもそも約束を守らない文化の中国相手に効果的な取り決めができるはずがありません。武漢肺炎騒動の最中にあっても、中国はほぼ毎日尖閣周辺に海上警備艇などの公船を侵入させています。

岡部：中国の尖閣周辺での軍事的な動きは本当に油断できません。2020年3月に太平洋に展開中の米海軍の原子力空母「セオドア・ルーズベルト」で集団感染が明らかになった時も、中国は米軍の活動が縮小せざるを得なくなった隙をついて南シナ海の軍事支配の強化に動きましたからね。

翌４月２日には、西沙《せいさ》諸島周辺で中国海警局の船がベトナム漁船に体当たりして沈没させていますし、11日には中国海軍の空母「遼寧《りょうねい》」が南シナ海で訓練を実施し、沖縄の南をかすめて太平洋に進出しています。

また、ロイター通信によると、16日頃には中国自然資源省の調査船がマレーシアの国営石油会社が開発を行う海域に現れ、探査活動と見られる行動をとっていたそうです。

それだけではありません。中国は、２０１２年に南シナ海の各諸島を管轄する自治体として海南省三沙市を設定し、実効支配の既成事実化を図っていますが、２０２０年４月18日には、さらに同市の下に、西沙諸島を管轄する「西沙区」、南沙（スプラトリー）諸島を管轄する「南沙区」という行政区を設置すると発表しました。火事場泥棒もいいところです。

中国を読み解くための３つの視点とは？

馬渕：ここまで中国についていろいろと岡部さんとお話ししてきましたが、最後にポイントをまとめておきましょう。結局、私たち日本人は中国という存在をどう見ればいいのか。

中国を普通の国家として考えてはいけません。中国を見ていく上で重要な視点は次の3つです。

・中国は共産党による一党独裁体制である
・中国は〝超個人主義〟である
・中国は〝国〟ではなく〝市場〟である

この3つの視点で中国を見た場合、明らかに予測できることがひとつあります。

それは、「共産党による一党独裁体制は、経済が衰退すれば崩壊する」ということです。

共産党は独裁政治体制を死守しようとしています。一方、中国国民は自由な企業活動を目論《もくろ》んでいます。両者の間にすでに乖離《かいり》が生じていることは明らかです。

利己主義で国家観のない中国という〝市場〟では、自分が儲けることさえできれば、独裁体制だろうが、群雄割拠の内乱状態だろうがどうでもいいのです。

共産党が中国を支配している正当性は今、経済にしかありません。経済が衰退したならば、共産党への忠誠心は皆無に等しくなるでしょう。

ですから、今後はますます、日本の政治家や企業家がチャイナマネーになびかずにいられるかどうかが日本の課題になるでしょう。おそらく中国は、日本の親中派（媚中派）に対して相当な額のチャイナマネーをすでに注ぎ込んでいるはずです。

今回日本を襲った武漢肺炎の感染者がこれほど拡大した元凶は、我が国の政財界の親中派が過度に中国に忖度した結果と言えます。

中国は、日米関係が脆弱《ぜいじゃく》化している時には強圧的な態度に出る一方、日米関係が強固な時には日本にすり寄ってきて、内側から攪乱しようとする国です。

中国が融和的な態度をとること自体はもちろん拒否すべきことではありません。しかし、そこに隠された意図を読みとらなければいけません。

マスコミの報道にせよ政治運動にせよ、中国の影をしっかりと見極めなければなりません。言うまでもありませんが、親中派の政治家にも注意しておきましょう。チェックポイントは、「発言の中に中国の利益となる点はないか」ということです。

岡部：おっしゃる通りです。繰り返しになりますが、菅政権中枢に巣食う親中派の存在は海外から名指しで批判されるくらい危険で、座視できない「アキレス腱《けん》」になっています。米英などアングロサクソン諸国との連携を深める日本のファイブ・アイズ入りも、「新・日英同盟」構想も彼ら親中派の存在のために実現が阻まれてしまう恐れがあります。

自由と民主主義、そして法の支配や人権を尊重する日本は、全体主義で監視国家の中国の支配下に入ることはできません。たとえ中国との経済的な相互依存関係が深かろうとも、価値観を同じくする米英を選び、足並みを揃えるべきです。

経済的な結び付きを重視する「親中派」の台頭を許せば、日本の対中政策が弱腰となり、結果として対中強硬路線の米英からの信頼を失いかねません。それがファイブ・アイズ入りや新・日英同盟の足かせになれば、日本の国益を棄損することになってしまいます。それだけは絶対に避けなければなりませんね。

第5章
もっと〝日本の武器〟を自覚せよ

「自由で開かれたインド太平洋構想」実現に安倍外交、再始動⁉

岡部：以前ちょっとした話題になったんですが、英国の有力シンクタンク、ポリシー・エクスチェンジが2020年11月に発表した「自由で開かれたインド太平洋」に関する報告書に、安倍晋三前首相が「安定と繁栄に役立ってきた規則や規範による秩序を守ることが重要で、英国の加入を歓迎したい」という内容の前文を寄稿しました。

この報告書は、ポリシー・エクスチェンジ（英国のシンクタンク）がカナダのハーパー元首相を座長に、オーストラリアのアレクサンダー・ダウナー元外相、英国のマイケル・ファロン元国防相、ニュージーランドのマレー・マッカリー元外相、鶴岡公二前駐英大使ら各国の有識者が参加した委員会で議論し、イギリス政府にインド太平洋構想への関与を提言したものです。

法の支配などを基調としたインド太平洋構想を最初に提唱した安倍氏は前文で「すべての国が協力し、目的を共有し、共通の努力の成果を享受しようとする時にのみ安定と繁栄は保証される」と指摘し、「英国が関与して真にグローバルな協力時代へ道を示す」と英国の参加に賛意を示しました。

これに対しポリシー・エクスチェンジは「同構想を提唱した父親的存在で、日英関係を歴史的に進展させた安倍氏の支持はイギリス政府に究極の説得力を持ち、国際社会へ影響力を発揮する」と最大限の評価をしています。

イギリス政府は、２０２１年３月16日、15年以来、今後10年間の安保・国防・外交政策の「レビュー」（見直し）を発表しましたが、この中でポリシー・エクスチェンジの提言通り、ジョンソン首相は「冷戦終結以降で最大となる見直しだ」として、インド太平洋地域への関与を強める姿勢を打ち出しました。

馬渕：安倍さんが再び外交で存在感を発揮するようになってきましたね。日本にとっては喜ばしいことだと思います。

岡部：今やインド太平洋構想は、アメリカをはじめ、ドイツ、フランス、ＡＳＥＡＮ（東南アジア諸国連合）などで賛同が広がっています。日本が主唱したインド太平洋構想が西側の共通政策になることは、過去に類例がない日本外交の金字塔です。

イギリスは「インド太平洋構想で協力を推進する」（ドミニク・ラーブ外相）と秩序構築に参加姿勢を示しましたが、正式に賛同していませんでした。しかし、ジョンソン首相が菅首相との電話会談で構想実現への協力・連携を確認し、空母クイーン・エリザベスをインド太平洋に派遣する方針も決まっています。イギリスも安倍氏の後押しで正式に外交安保政策の見直しで、インド太平洋構想に賛同し、同地域への関与を強化する方針を打ち出したことで、この構想が自由諸国の共通政策となる可能性が高まると思います。

先般合意した日英ＥＰＡなど貿易経済のみならず、空母クイーン・エリザベスの太平洋派遣など安全保障でも日英が手を携え、国際社会を主導することは素晴らしいことです。

インド太平洋構想に賛同が広がる背景には、やはり一帯一路を掲げて世界の覇権を狙う中国への警戒感があります。日本は英米をはじめとする〝共通の価値観〟を持つ国々と経済や安全保障の連携を強め、中国への対抗軸を築いていくべきです。

馬渕：おっしゃる通りです。ただ、アメリカがバイデン政権になって果たしてどこまで中国に対し我々の〝共通の価値観〟を強く主張してゆくのか、若干の不安はありますが。

イギリスと日本は個人レベルでも相性が良い？

岡部：私は２０１５年12月から約３年半、産経新聞ロンドン支局長としてイギリスに赴任していました。これはあくまでも私の個人的な実感なのですが、やっぱりイギリスでの生活がいちばん肌に合っていましたね。

イギリスの前には、アメリカやロシアでも暮らした経験があるんですが、イギリスが最も違和感なく生活できて、心地よかったです。やっぱり日本とイギリスは相性がいいんだなと思いました。

イギリスでは、幸いなことに自分が日本人であることを隠さなければならないような場面に遭遇することはありませんでした。どちらかといえば、「日本人は礼儀正しく、勤勉で信頼できる」と好意的に受けて止めてくれるイギリス人が多く、胸を張って生活することができましたね。それもこれも、イギリスで品行方正に凛《りん》として現地の人々と交流を重ねてきた日本の先人たちの努力の賜物《たまもの》だと思います。

もちろん、第二次世界大戦で日本人と戦い、捕虜となった元イギリス人兵士の方々を中心に「野蛮で残虐な日本人」というネガティブなイメージがあったことも事実です。１９９０年代にはイギリス人の元戦争捕虜の団体が日本政府を相手取って個人補償請求の訴訟を起こし、謝罪を要求したこともあります。日本への恨みの感情が強かったためです。

しかし、戦後数十年を経て、民間団体や在英日本大使館、そして皇室などの尽力で、日英和解は着実に進みました。２０１４年のＢＢＣの調査によると、イギリス人の65％が日本の影響を好意的に受け止めていますが、これはヨーロッパでは最も高い数値です。

英国の前駐日大使だったポール・マデン氏は、「日英和解が進み、戦争捕虜となった元英国軍兵士の世代交代が進み、捕虜の問題は過去のものになりつつある」と語っています。

日産自動車をはじめ、多くの日本企業がイギリスに進出したことも大きかったと思います。こうして日英の和解が進み、イギリス社会で日本人の良いイメージが作られていったのは、先人たちの血のにじむような努力の賜物だったに違いありません。

日英同盟破棄という歴史の〝汚点〟

馬渕：いわゆる「捕虜問題」が過去のものになりつつあるのは、日本側の並々ならぬ努力があったのですが、イギリスが日本人捕虜にどんな取扱いをしたのかについては議論されていません。実際イギリスは日本人兵士を捕虜にすると食住を与えなければならないから、降伏した日本兵を虐殺したこともあります。また、会田雄次氏の『アーロン収容所』（中公新書）に出ていますが、イギリスでは日本人捕虜を人間扱いしませんでした。人種差別まる出しでした。本当に和解するなら日本が一方的に謝罪するのではなく、お互いが許し合うことが必要です。21世紀において、イギリスが名実ともに精神的に対等な日英同盟を樹立できるのか、イギリス側の意識改革も必要とされていると思います。それはともかくそれほど相性が良い両国だけに、第二次世界大戦前に日英同盟が破棄されてしまったのは、本当に惜しかったですよね。

日本にとって日英同盟は、生命線でした。日英同盟は「一対一の戦争の場合は中立、一対複数の場合に参戦」という約束があり、抑止力として強い効果を発揮していました。日露戦争時に、ロシアと軍事同盟（露仏同盟）を結んでいたフランスが参戦しなかったのは、この抑止力が働いたからです。

日露戦争で日本が勝利できたのは、結局のところ日英同盟のおかげなんですよね。日本にとって日英同盟は、第一次世界大戦後に米・英・仏・伊と並ぶ「五大国」の一国としての国際的地位を担保するものでもありましたからね。

岡部：おっしゃる通りです。日本人が一方的に謝罪するだけでは真の和解には至りません。現在和解が進んでいるのはイギリス側に許し合う気持ちがめばえ始めているからだと思います。

第一次世界大戦を経て、日本は日英同盟を基礎にイギリスと〝蜜月時代〟を築き、アジアの大国になりました。また、他のヨーロッパの国々とも連携を深めています。

しかし、当時、日本の国際社会の地位向上を苦々しく感じていたのがアメリカです。

アメリカは、日露戦争後の日本の大陸進出に不満を抱いていました。そして、日英の分断を画策しました。

その発端となったのは、日露戦争直後の満洲利権をめぐるすれ違いです。ロシアの進出を抑えるため、日露戦争で日本を資金援助したアメリカが、日露の講和締結に積極介入したのも、満洲の利権が欲しかったからでした。

そこで講和締結後、アメリカの鉄道王、エドワード・ヘンリー・ハリマン（1848〜1909）は日本がロシアから得た権益のうち、新京（長春）から大連間を走る鉄道（南満洲鉄道）の共同経営を1億円の財政援助とともに持ちかけました。国家予算が約2億6千万円という時代の1億円です。首相の桂太郎（1848〜1913）はハリマンの提案を歓迎して受け入れました。

エドワード・ヘンリー・ハリマン

ところが、ハリマンとすれ違いに帰国した小村寿太郎外相（1855〜1911）は、「多くの国民の犠牲を払い得た権益をアメリカと分けると他国に足もとを見られ、最終的には奪い取られる」と疑念を持ち反対しました。

桂首相が小村外相に従うと、提案が逆転で却下されたハリ

桂太郎

小村寿太郎

マンの怒りは収まらず、日米は満洲利権をめぐり対立するようになります。
第一次世界大戦が終結した翌年、1919年のパリ講和会議で日本が提議した人種差別撤廃提案をめぐって日英の利害が対立すると、アメリカはそれに付け込んで、巧みに日英を外交的に分断させました。
そしてアメリカは1921年、ワシントンに主要9カ国を集めた軍縮会議を開催し、太平洋諸島の非要塞化などを取り決めた米英日仏が、アメリカの思惑通りに四カ国条約を締結します。この四カ国条約締結により、1902年に調印され、その後、第二次（1905年）、第三次（1911年）と継続して更新された日英同盟に終止符が打たれたわけです。さらに、清国崩壊後に成立した中華民国への進出の抑制など、日本の弱体化を狙った合意を引き出しました。
世界覇権争いの末、英国が第一次世界大戦で借りた巨額の戦債を盾に米国から圧力を受けたイギリスでは、共通の敵であったロシア帝国とドイツ帝国が消滅したこともあり、イギリス内部の「日英同盟」更新に対する反対論が強まります。その背景には、日本が中国に勢力を伸ばし、日英の利害対立が生じる可能性があり、アメリカに莫大な戦費を負っているなど米英関係の重要性が相対的に増してきたこともありました。

それでも、英国の主要閣僚や陸海軍大臣や参謀総長まですべて同盟継続派でしたし、大英帝国内の自治領でも、カナダは同盟継続に反対でしたが、豪州・ニュージーランドは同盟存続に賛成していました。

一方、当時は日本が「同盟堅持」といえば、イギリスから廃棄を言い出せる状況ではなかったと言われています。

ところが日本は、当時の立憲政友会の原敬（1856〜1921）および高橋是清内閣は、イギリスの国際的地位の低下に伴い、対英協調よりも対米協調に傾きつつあり、積極的に「日英同盟破棄」の意思はなかったようですが、さりとて「同盟継続」の強い意志を欠いていたことも事実でした。

最も留意すべきは、日英同盟締結の原因となった帝政ロシアが滅亡して、同盟の存在意義が消滅したことでした。まさか、この時点ですでに共産主義ソ連に対して甘い幻想を抱いていたのではないでしょうが、ロシア帝国に勝る覇権国家ソ連の〝脅威〟を見抜けなかったことは日本外交のボーンヘッド（判断ミス）でしょう。

馬渕：ワシントン海軍軍縮会議では、主力艦の比率が「アメリカ：5」「イギリス：5」「日本：3」「フランス：1・75」「イタリア：1・75」に制限されました。軍拡競争で、各国の経済が圧迫されていたため、と言われています。

一般的に軍縮は、支配領域が広ければ広いほど痛手になります。日本の場合は、イギリスと違って西太平洋地域に限られていましたから、この比率はさほど痛手にはなりませんでした。

それよりも、日本の痛手になったのは、「日英同盟の終了」と「九カ国条約の締結」です。つまり、アメリカの狙いはここにありました。

岡部さんのおっしゃった通り、当時のアメリカは満洲進出を狙っていました。日露戦争でロシアから割譲された南満洲鉄道の中立化を提案していましたが、日英同盟が邪魔していました。アメリカからすると、対外戦略を進める上で、日英同盟の存在がまさしく「目の上のたんこぶ」だったわけです。

岡部さんがおっしゃったように、当初はイギリスも日英同盟の終了には消極的でしたが、アメリカに押し切られてしまいました。先ほど四カ国条約に触れられましたが、その第四条で「日英同盟の終了」が謳われたんです。四カ国条約はこの地域での紛争を解決するためにお互いに協力するという〝建前〟が述べられているのみで、具体性もなく、何の意味もない条約でした。

ちなみに、アメリカのもうひとつの狙いだった「九カ国条約」とは、日・米・英・仏・伊の五大国に加えて、中国（支那）、ベルギー、オランダ、ポルトガルの間で結ばれた条約です。これは一言でいえば、「中国に関する条約」であり、中国の「主権」「独立」「領土保全の尊重」「門戸開放」「機会均等主義」の遵守について書かれていました。重要な意味を持つのは次の条文です。

「友好国国民の権利を損なう特権を求めるため支那の情勢を利用したり、友好国の安寧《あんねい》を害する行動を是認したりしないこと」（第一条第四項）

「支那における門戸開放または機会均等主義を有効ならしむため、支那以外の締約国は支那における経済的優越権を設定せず、他国の権利を奪うが如き独占権を認めない」（第三条）

既存の権益を守るために行う行為は、〝侵略〟ではなく〝防衛〟です。しかし、たとえ防衛のために日本が行ったものでも、九カ国条約違反として国際的に非難される口実が、これをもってできあがりました。アメリカは、九カ国条約を大いに利用したんです。

また、この九カ国条約には、ソ連が入っていないというのもポイントです。九カ国条約に参加していないということは、ソ連は、中国（支那）、満洲、外蒙古において自由に行動できるということです。アメリカは、ソ連の侵略行動を是認していました。たとえば、1921年にソ連の外蒙古侵攻が始まりますが、アメリカは一切、批判も抗議も行っていません。

アメリカは、自らが生んだソ連共産主義政権を守護しました。アメリカの世界戦略の一端をソ連に担わせるためです。

岡部：最終的には、原敬首相の信任厚かった、ワシントン会議の全権を務めた駐米大使だった幣原《しではら》喜重郎（1872〜1951）の決断により、英国側の〝迷い〟を断ち切ったことで実現しました。

原敬

イギリスは当初、日英同盟の内容を実質的には変更せずに、アメリカを加えた「日英米三国協商」を提唱しましたが、幣原は、これを拒否して、同盟による〝勢力均衡〟と決別し、米国の理想主義的な原則に同調して四カ国条約を結びました。

米国の金融支配力に屈したイギリスは日英同盟破棄という歴史的な対米譲歩に踏み切らざるを得なかったのです。

なぜなら、イギリスは日英同盟破棄後の1930年代、独自に日本と中国の仲介役となり、財政改革や幣制改革を手がけようとして、日本を締め上げる米国と完全に乖離していました。満洲事変では、日英同盟破棄に賛成したチャーチルは

幣原喜重郎

じめ英政界は日本を支持しました。

「英米の一体化」ができ上がるのは、チャーチルが戦時内閣の首相に就任した1940年5月——ナチス・ドイツが欧州ほぼ全土を制圧し、連日連夜続くロンドン空襲で、風前の灯となったイギリスが米国に泣きつくしかなくなってからです。裏を返せば、それまでイギリスは、日本との関係改善も視野に入れていたとも言えるでしょう。

イギリス側というより日本側の意思で同盟を破棄してしまったことは留意すべきです。日英同盟の破棄後、日本がアングロサクソンの米英と衝突し、太平洋戦争に突入していったことは、はっきり言って日本の歴史上の〝汚点〟です。

日英同盟は、1902年に結ばれて以来、日本外交の基軸となり、日露戦争の勝利も第一次

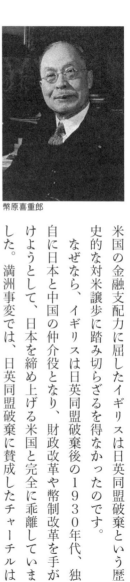

世界大戦の連合国側参戦もその恩恵を受けた結果でした。

ナチス・ドイツの第三帝国、ムッソリーニのファシズム・イタリアと三国同盟を結んだことよりも、日英同盟を維持できなかったことが、日本外交にとって痛恨の極みだったと私は思います。

日本はこれを歴史の教訓とすべきです。

義和団事件で絶賛された日本人、柴五郎

――日英同盟が結ばれるに至った経緯についても詳しく教えてください。

岡部：歴史的に見て、白人は20世紀初めまで有色人種を差別していたと言っていいと思います。彼らの有色人種に対する認識を大きく変えた出来事が１９００年の中国清朝末期の動乱に起きた義和団事件でした。

義和団事件とは、日清戦争に敗れた清国（中国）に欧米列強が次々と進出し、外国勢を駆逐しようと、西洋人とキリスト教に反感を持つ中国人民衆が「扶清滅洋《ふしんめつよう》」（清国を助けて西洋人を滅ぼす）を掲げて反乱を起こし、北京駐在の外国公使館などを2カ月以上、包囲した事件です。

山東省で結成された秘密結社・義和団は、「義和拳」という呪術を行う拳法を修得した中国人たちの集団でした。彼らは、お札を貼って聖水を飲めば、西洋人の銃弾に当たらないという迷信を信じ、中国を侵略した西洋人や中国の文化や慣行を無視したキリスト教の布教などに対して立ち上がりました。

山東省に始まり、天津《てんしん》でキリスト教徒を殺傷し、教会、外国人施設、駅、鉄道などを襲撃して暴れまわっていたわけです。

このとき各国政府は暴徒を鎮圧するよう清国に要求したが、清国政府は、義和団を利用して列強の力を弱めようという思惑から暴動を放置しました。

すると、動乱は首都の北京にまで迫る事態となり、ドイツ公使が義和団に殺害される事態にまで発展します。

当時清国の実権を握っていた西太后《せいたいごう》（1835〜1908）はこれを西洋人を締め出すチャンスと受け止め、清国政府に義和団へ協力する勅令を出しました。このため清国軍も義和団に呼応して列国に宣戦布告し、公使館を攻撃したのです。

西太后

馬渕：無茶苦茶な対応ですよね。

岡部：当時、紫禁城《しきんじょう》東南地区の「東交民巷《とうこうみんこう》」にあった外国公使館区域（当時の中国には大使館より格下の公使館が開設されていた）には、イギリス、ロシア、フランス、アメリカ、ドイツ、オーストリア＝ハンガリー、イタリア、オランダ、ベルギー、スペイン、日本の外国人925名、中国人3000名が避難して立て籠もっていました。

そのため、ロシア、イギリス、フランス、アメリカ、ドイツ、オーストリア＝ハンガリー　イタリア、日本の8カ国からなる連合軍が出兵。

日本は初めて列強と肩を並べて戦い、8カ国中最大の1万の兵を派遣し鎮圧に努めました。ちなみに、この時、ロシア軍は騒乱に紛れて満洲（中国東北部）を軍事占領しています。

連合軍の籠城は8月13日まで2カ月に及びました。

食糧や銃弾が尽きる中で戦い抜き、各国将兵の戦死率はイタリア兵24％、日本兵20％に及び、日本兵の戦傷率は52％と、飛び抜けて高かったんです。

連合軍の兵士たち。左から、イギリス、アメリカ、ロシア、イギリス領インド、ドイツ、フランス、オーストリア＝ハンガリー、イタリア、日本

各国公使館の武官や兵士は481人しかいない。その中で階級がいちばん高く、実戦経験も豊富だったのが日本軍の柴五郎中佐（1860～1945）です。

馬渕：柴五郎といえば、会津藩出身で、幼少期に戊辰《ぼしん》戦争で会津城の籠城戦を経験していましたからね。確か語学も堪能で、英語だけじゃなくて、フランス語や中国語とかも使えたんですよね。

柴五郎

岡部：そうなんです。軍人のみならず、情報感覚が研ぎ澄まされた優れたインテリジェンス・オフィサーでもありました。籠城戦の総指揮官としてイギリス公使クロード・マックスウェル・マクドナルド（1852～1915）が就任すると、マクドナルドは、以前より親交があり、その経験と見識を評価していた柴五郎に籠城戦の実践の指揮を委ねました。

すると、柴五郎は最も激戦となった地区を担当した日本軍を率い、公使館防衛に獅子奮迅《ししふんじん》の活躍を見せます。その働いぶりは、各国の外交官や婦人たちから感謝と尊敬を集めました。とりわけイギリス公使館が襲撃された時には救援に駆けつけ、清国兵を撃退し、大いに感謝されたと言われています。

クロード・マックスウェル・マクドナルド
©Everett Collection/アフロ

日本陸軍の軍人だった作家・村上兵衛（1923〜2003）の『守城の人 明治人柴五郎大将の生涯』（光人社、1994）によると、イギリスの作家ピーター・フレミング（1907〜1971）は、当時の関係者の日記などをもとに著した『北京籠城』に「戦略上の最重要地である王府では、日本兵が守備のバックボーンであり、頭脳であった。日本を補佐したのは頼りにならないイタリア兵で、日本を補強したのはイギリス義勇兵だった。日本軍を指揮した柴五郎中佐は、籠城中、どの士官よりも有能で経験も豊かであったばかりか、誰からも好かれ、尊敬された。当時、日本人と付き合う欧米人はほとんどいなかったが、この籠城を通じてそれが変わった。日本人の姿が模範生として、みなの目に映るようになった。日本人の勇気、信頼性、そして明朗さは、籠城者一同の称賛の的となった。籠城に関する数多い記録の中で、直接的にも間接的にも、一言の非難も浴びていないのは、日本人だけである」と書き残しています。ちなみに、このピーター・フレミングという人は、スパイ映画『007』シリーズの原作者イアン・フレミング（1908〜1964）の兄です。

また、英公使館員も当時の日記に「王府への攻撃が極めて激しかったが、柴五郎中佐が一睡もせず指揮を執った。日本兵が最も勇敢であることは確かで、ここにいる各国の士官の中では柴五郎中佐が最も優秀だと誰もが認めた。日本兵の勇気と大胆さは驚嘆すべきで、我が英水兵が続いたが、日本兵の凄さはずば抜けていちばんだった」と柴五郎と日本軍の働きを称賛しています。

他にも、村上の『守城の人』では、実際に柴五郎中佐の配下で戦った英義勇兵のひとりが「その指揮ぶりをみて、この人の下で死んでも良いと思うようになった」と指揮官としての柴に惚れ込んだというエピソードや、当初は各国の公使や守備隊指揮官から特に相手にされていなかった柴五郎が戦場での活躍とともに日に日に注目を集め、やがてすべての国の指揮官が柴五郎に見解と支援を求めるようになったという話（一般居留民として籠城したアメリカ人女性ポリー・スミスの証言）も紹介されています。

馬渕：やはり人柄も素晴らしかったんでしょうね。間違いなく柴五郎は、西洋人の日本人観を大きく変えたひとりだと思います。

岡部：実際、当時柴五郎と一緒に籠城していた人たちは、誰もが彼の人柄に惹かれ、尊敬していたそうです。それまで日本人と付き合う西洋人はあまりいなかっただけに、彼らの日本人観を変えるインパクトも大きかったんじゃないでしょうか。

世界が驚いた「略奪しない日本軍」

岡部：義和団事件での日本軍の活躍は当時イギリスの新聞でも紹介されました。英『タイムズ』紙は社説で、全公使館区域の救出を成し遂げた日本への感謝を述べ、「外交団の虐殺、国旗侮辱をまぬがれえたのは、ひとえに日本のおかげである。日本人ほど男らしく奮闘し、その任務を全うした国民はいない」と日本兵の輝かしい武勇と戦術をたたえた上で、「日本は欧米列強の伴侶たるにふさわしい国である」と報じています。

義和団鎮圧後、救援連合軍が北京へ入場すると、ロシアをはじめ各国軍兵士とマクドナルド公使ら外交官たちは、復讐心から、紫禁城の財物の略奪を盛大に行いました。

馬渕：当時の欧米の感覚では、戦争の勝者が略奪するのは普通のことですからね。

岡部：はい。彼らにとって略奪や強姦は〝戦争の余禄〟という認識でした。でも、規律の厳しい日本軍は、部隊として敵の官衙（役所）の金品や米倉を差し押さえはしたものの、個人的な略奪は行っていません。

西太后の離宮として有名な頤和園《いわえん》も、はじめ日本軍騎兵第五連隊が占領していたんですが、彼らは豪華な装飾品や宝石などに手を触れることなく守っています。まあ、そこも数日後にはロシア軍が塀を乗り越えて侵入し、大々的に略奪して居座ったんですが……。

日本側も小部隊ではロシア兵たちを制止できず、師団司令部に報告しています。しかし、司令部としても、連合軍同士で事を構えるわけにもいかないので、結局、日本軍は黙々と撤収しました。

ちなみに、この時はロシア軍の兵士だけでなく、イギリス軍の兵士も略奪行為に参加し、手に入れた骨董《こっとう》品類や宝石を、公使館の中でオークションをして売っていたそうです。渡部昇一氏の著者『日本とシナ　1500年の真実』（PHP研究所、2006年）には、「イギリス、アメリカの管轄区域はフランスやロシアの区域よりは良かった。しかし、日本軍のそれと比べると遠く及ばなかった」という証言が載せられています。

紫禁城内の連合軍

このように日本軍は規律正しく治安が維持されていたため、当時はロシアの区域から日本の区域に避難する人が洪水のように流れていったそうです。

日本軍は略奪をしなかっただけでなく、女性に対しても節度と礼儀ある態度を貫いたので、西洋列強各国の公使館関係者の夫人たちは、柴五郎中佐の「騎士道的ジェントルマン」ぶりを称賛しました。柴五郎は「サムライ・ジェントルマン」として世界で認められた第一号になったわけです。

また、義和団事件を通じて柴五郎に惚れ込んだイギリスのマクドナルド公使も「日本人こそ最高の勇気と不屈の闘志、類稀《たぐいまれ》なる知性と行動力を示した、素晴らしき英雄たちである」と公式の場で柴五郎と日本軍の活躍を絶賛するようになりました。

柴はその後、イギリスのビクトリア女王をはじめ各国から勲章を授与され、「ルテナント・コロネル・シバ」（柴五郎中佐）として広く知られるようになります。

こうして日本軍と日本に対する評価が高まったことが1902年の日英同盟締結の背景となったことは紛れもない事実です。柴五郎こそ日英同盟の影の立役者です。

日本と同盟を結んだイギリスの〝したたかな戦略〟

馬渕：おそらく今の学校の教科書には「柴五郎」の名前すら出てこないんでしょうけど、間違いなく日英同盟の最大の功労者のひとりですよね。まあ、もちろんそれだけじゃなくて、当時のイギリスにはイギリスなりの〝したたかな戦略〟があったわけですが。

岡部：おっしゃる通りです。マクドナルド公使は「サムライ魂」を持つ柴五郎と日本兵の礼節と勇気に感動し、「日本武士道は西洋騎士道である」と称賛しました。そして「日本人以外に信頼しうる人々は他になし」との信念から、「東洋で組むのは日本」と確信します。これが日英同盟の締結に繋がったわけです。

同盟締結の背景というか、馬渕大使がおっしゃった「イギリスのしたたかな戦略」についても触れておくと、近世以来、イギリスの外交政策は「勢力均衡」が基本でした。いかなる国とも恒久固定的な同盟関係を結ばず、平時は大陸情勢から超然とする「光輝ある孤立」を保ちながらも、ひとたび覇を唱える強国がヨーロッパに出現し、イギリス本土にその脅威が迫る恐れが生じた場合には、他の大陸欧州諸国と連携して覇権国家に対抗する。こうして影響力拡大を阻止し、イギリスへの圧迫を回避する、というのが伝統的な外交手法だったんです。

新たな大国が出現すれば、昨日の敵は今日の味方となり、味方が台頭し始めれば、明日は再び敵対する。したたかといえば、したたかですが、そんな柔軟で現実主義的な外交政策を展開して19世紀に覇権国家となったのです。

馬渕：19世紀にイギリスの首相を務めたパーマストン（第3代パーマストン子爵ヘンリー・ジョン・テンプル、1784〜1865）が「永遠の友好国も永遠の敵国もいない。永遠にあるのは国益のみだ」という名言を残していますが、まさにそれですね。国際関係を見る場合、つねに念頭に置いておくべき教訓であり、今の日本に最も必要な発想だと思います。今の日本はそれとはまったく逆の考え方しかできず、国益というものを柔軟にとらえられていないですからね。

岡部：本当にその通りです。列島から一歩、大陸へ足を踏み入れると、世界はどこも「腹黒い」。お人好しでは、祖国が滅亡してしまう。当時イギリスはこうして「光輝ある孤立」と呼ばれる非同盟政策を貫き、現実主義でヨーロッパの紛争には介入せず、あらゆる国と自由貿易を行い、自国製品の販売・輸出によって世界経済の中心として栄えていました。

しかし、他のヨーロッパ主要国が三国同盟（1882年にドイツ・オーストリア＝ハンガリー・イタリアの３国間で結ばれた秘密軍事同盟）や、露仏同盟（1891年から1894年にかけて成立した、フランスとロシアが結んだ政治協定・軍事協定）といった連合体制を敷いてくる中で、次第にイギリスの優位性も揺らいできます。特に、当時ことあるごとに対立していたのが南下政策を推進するロシアです。

それを踏まえて義和団事件に話を戻すと、イギリスは事件後も満洲を不法占拠したまま撤退しようとしないロシアを牽制する必要がありました。一方で、イギリス単独では中国における利権を確保することに限界があることも認識しています。当時イギリスはシンガポールから香港を拠点にアジア支配を進めていたんですが、さすがに朝鮮半島や満洲にまで対ロシア戦線を拡大できません。だから、同じくアジアでロシアに対抗する日本と手を組む決断を下したわけです。言葉を変えると、ロシア封じ込めに日本を利用したともいえます。

マクドナルド公使は帰国後、ロバート・ガスコイン゠セシル首相（第3代ソールズベリー侯爵、1830〜1903）を説得し、イギリスのアジア政策と「光輝ある孤立」政策を棄却する転換を促しました。それを後押しする根拠として、義和団事件での柴五郎ら日本軍の活躍があったことは間違いありません。イギリスにとって「柴五郎」は信頼すべき日本人の先駆者で、日英同盟締結の「陰の立役者」となったのです。

この日英同盟をもとに日本はロシアとの戦争に突入していくことになりますが、イギリスからすると、日露戦争で日本が勝利すれば、自らの手を汚さずにロシアを封じ込められます。また、たとえ日本が負けても、自国には傷が付かないわけです。近代国家として成立したばかりの東洋の新興国・日本と軍事同盟を結び、先端軍事技術を惜しみなく提供した背景には、イギリス流のしたたかな現実主義（リアリズム）があったということですね。

馬渕：そうやって国益をもとに戦略を立てていくのは、国家として当然あるべき姿です。今の日本がちょっとおかしいだけでね。

岡部：そうですね。だから、日本はアジアにおけるイギリスの帝国主義の〝先兵役〟にされたとも解釈できるわけです。「日露戦争はイギリス対ロシアの代理戦争だった」と解釈する見方もあるくらいですから。

一方で、日本には、弱肉強食の帝国主義の時代を生き抜くために、大国と軍事同盟を結び、安全を確保しなければならないという事情がありました。周辺諸国への侵略を繰り返す膨張主義のロシアに備えるため、日本政府は、明治維新以来、友好関係にあったイギリスを同盟相手に選ばざるを得なかったわけです。

基本的に交わらない「サムウェア」と「エニウェア」の人たちとは？

――イギリスではブレグジット以降、分断が収まるどころかさらに分断が進んでいるそうですが、今のアメリカのような状況はこれからイギリスでも起こり得るのでしょうか？

岡部：起こり得ますね。いや、すでに２０１６年のＥＵ離脱を選択した国民投票から、分断は始まり、現在も続いています。今も、半分が離脱でもう半分が残留、この比率はほとんど拮抗して変わらないのです。

国民投票では、イギリス全体で離脱派が52％、残留派が48％となり、わずか4ポイント差で離脱が選択されました。当時はそのうち時間とともに離脱派・残留派どちらかに収斂されるだろうと思われていましたが、結局は拮抗したまま今も分断状態が続いているわけです。

だから、2021年1月31日に完全離脱したとはいえ、首都のロンドンを中心に生活する残留派の人は再びEUに戻る日を楽しみにしています。特に若い人たちは生まれた時からイギリスがEUの一員だったので、EUに戻りたいと主張しています。

一方、産業革命の工業地帯で栄えたイングランド北部の地方都市に住む保守的な高齢の人たちは「これで大英帝国時代のイギリスに戻った」と喜んでいます。おそらくこの状況はしばらく変わらないと思いますね。

ウェストミンスター宮殿前でブレグジット反対デモを行う英国市民ら（2018年12月4日）

ところで、興味深い分析があります。イギリスのジャーナリストのデイビット・グッドハートさんが著書『The Road to Somewhere: The Populist Revolt and the Future of Politics』

で彼らのことを「エニウェア（anywhere）とサムウェア（somewhere）の人たち」と呼んでいます。意味としては「どこにでも住める人」と「どこかじゃなければ住めない人」です。ようするに、「どこにでも（anywhere）住める人」というのが残留派で、「どこか（somewhere）にしか住めない人」というのが離脱派です。

これをアメリカにあてはめると、ラストベルト※の人たち、いわゆる「グローバリズムに取り残されて反対した人たち」は「サムウェアの人たち＝どこかにしか住めない人たち」です。

反対にワシントンやニューヨークなどの大都市が集まる西海岸・東海岸の「グローバリズムの恩恵にあずかった人たち」は「エニウェアの人たち＝どこにでも住める人たち」だということになります。そういう色分けで見ると、実は今のアメリカとイギリスで起きている現象は同じことになります。

そして英国では25％にすぎなかったエニウェアタイプの増加がブレグジットはじめ世界を分裂させる原因になったというのです。

※**ラストベルト（Rust Belt）**：「錆びた工業地帯」という意味。石炭・鉄鋼・自動車などの斜陽産業を多く抱える、アメリカ中西部の五大湖周辺の地域（ウィスコンシン州、ミシガン州、オハイオ州、ペンシルベニア州などの一部）を指す。

馬渕：面白いですね。

岡部：じゃあ、サムウェアとエニウェアの人たちは交わるかというと、基本的には交わりません。交わらないけど、何となく国が一緒なのでひとつの集合体としてやっている。

イギリスの場合だと、ブレグジットに対する基本的な考え方、ヨーロッパとの付き合い方については意見が分かれたままだけど、48対52という僅差とはいえ国民投票で決まった以上は仕方がない、という空気です。

ただし、人口でイングランドの10分の1にも満たない約540万人のスコットランドでは、逆に残留派が離脱派を大きく上回っています（2016年の国民投票では残留派が62％、離脱派が38％）。残留派が多いスコットランドや北アイルランド、ウェールズの人たちはこれを機会にイングランドから分離独立する独立志向が強まっています。だから、今はまさに「連合王国」崩壊の危機でもあるわけです。

イギリスが混乱し続けると、スコットランドの独立に向けた機運が再燃しかねません。独立の是非を問うた2014年9月の住民投票では反対多数となりましたが、英国のEU離脱に伴う混乱に加え、行動制限や屋内でのマスク着用の義務化を早々に導入し、ロックダウン（都市封鎖）を緩やかに解除するなど、新型コロナの流行を抑制するスコットランド自治政府の対策

ニコラ・スタージョン

を住民が評価しています。このため自治政府のニコラ・スタージョン首相は再度住民投票を実施する方針を打ち出し、独立への支持が広がっています。

英調査会社イプソス・モーリ社が2020年10月14日、スコットランド住民を対象に実施した世論調査の結果、独立賛成が55％と、反対の39％を大きく上回りました（「わからない」は6％）。コロナ感染が拡大した2020年春以降、独立賛成が支持を伸ばしています。

独立派のスコットランド国民党（SNP）の支持率も軒並み50％を上回っていて、5月に任期満了を迎えるスコットランド議会選挙では過半数が見込まれます。イプソス・モーリ社の世論調査ではSNPが過半数を取った場合、「住民投票を実施するべきか」と質問に対して、64％が「必ず」または「恐らく」するべきだと回答しています。

ただ独立の是非を問う住民投票の実施にはイギリス政府の許可が必要です。ジョンソン首相は、住民投票の再実施を容認しない考えを崩していません。

では、まったく可能性がないかといえば、そうでもありません。2021年5月の議会選挙でSNPが過半数を取れば、政治的、倫理的に新たな住民投票を実施する権利を主張できます。

スタージョン首相は選挙でＳＮＰがスコットランド議会を制すれば、住民投票実施の「民主的な委任」を付託されたことになると発言していますが、それでもジョンソン首相は拒否するでしょう。

過半数ではなく８割を越す地滑り的圧勝になれば、話は別です。イギリス政府も認めざるを得ないとの見方があります。

スコットランドは中世前期に建国された時から独立国家で１７０７年にイングランドと連合王国となる前までフランスや大陸欧州との関係が強い。だから、この機会に「欧州国家」として主権国家に戻ろうと独立機運が高まっています。独立すれば、３００年超の歴史を持つ「連合王国」は存続できなくなる。「国家分裂」のリスクをはらんでいます。

ブレグジットに伴う分断を引きずると、連合王国の崩壊にも発展しかねません。これからアメリカで起ころうとしていることも、おそらく同じようなものではないでしょうか。アメリカの場合はマイノリティが複雑化・多様化している分、もっと先鋭的になるんじゃないかなと思います。

馬渕：そういうエニウェアをひとりでも多く生み出そうとしているのが、まさにアメリカ民主党のやっているアイデンティティ・ポリティクスやポリコレなんですよ。ようするにグローバリズムなんですね。

垣根をなくして伝統的な共同体を潰せば、みんなどこで住んでも同じだとなる。だから、歴史を否定したり、隠蔽したりして、共同体的な〝紐帯《ちゅうたい》〟、すなわち結びつきを弱めてきたわけです。

前の話題で出てきた「批判理論」がまさにそうですよね（第1章参照）。秩序を批判して、共同体の紐帯をどんどんなくしていく。そうすると、みんなエニウェア、つまり「どこでも住める人間」になります。

「どこでも住める」とだけ聞くとプラスのことのように感じる人がいるかもしれませんが、実際のところ、それは宙に浮いたような、地につかない生活になるわけですね。

地に足がつかない彼らエニウェアの人たちの共通項は何かというと、〝マネー〟しかないわけです。文化はその土地の共同体との関わりの中で生まれてくるものだから、グローバルな文化なんていうのは結局のところ空っぽで、何もないわけですよ。マネーと、あとはせいぜい若者が楽しんでいるような、世界各国共通のヘラヘラしたサブカルチャー的なものですが、あんな文化と呼べないものくらいしか残らない。

しかし、かえってその方が国民を支配しやすくなるというのが、裏で筋書きを書いている人たち、つまりグローバリスト（ディープ・ステート）の考え方です。

だから、〝愛国者〟であるトランプさんは、それに反対してきたわけですよ。プーチン大統領にしてもそうです。

垣根がなくなって世界の行き来が自由になるということは、逆にいつでも戦争になるということですからね。そういう深刻な問題が今、世界中で起きているわけです。それはイギリスのような小さな領域の中でも起こっているし、もうちょっと大きなアメリカでも起こっているし、世界全体でも起こっている。そういう気がしますね。

日本は多民族がひとつになった単一民族国家

馬渕：日本では2016年に「ヘイト法」（ヘイトスピーチ対策法）が制定されましたが、あれは日本に〝階級闘争〟を持ち込んだのと同じことなんです。推進した自民党の議員は誰も意識していませんけどね。ポリティカル・コレクトネスだから、今の時流だから進めただけであってね。「在日韓国人を差別してはいけない」なんて言う人たちがいますが、我々は最初から差別なんかしていないわけですよ。ヘイトなんて、そもそも定義ができない概念でしょう。
そこを法的に定義しようとするから、あんな型通りの、民族差別がどうとかいうものしか出せないわけでね。

第一、「少数者を差別してはいけない」と法で定めたら多数者はどうなるのか？　論理はそのままで逆に置き換えたら「多数者は差別していい」ということになるじゃないですか。こんなバカげた法律はないですね。

ここ数年、アメリカで行われてきたことがまさにそれなんですよ。多数者が肩身の狭い思いをして、少数者が少数であるということだけで威張れる、そんな社会にしてきたわけです。そんなことをすれば、紛争や対立が激化、先鋭化するに決まっているじゃないですか。

共産主義者はそのようにして〝闘争の種〟を社会に植え込んでいくんですよ。今でいえばフランクフルト学派の説に洗脳された人たちがそれをやっていますね。我々が自然にそうなっていくように仕向けていきます。

自民党の議員にも日本を多民族社会にすると言っている人がいます。

茂木外務大臣のＨＰ※をご覧になってください。

ひどいものですよ。「多民族国家」というのは、ようするに植民地支配の鉄則であった「分割

※茂木敏光外務大臣のＨＰには、「自分なりの国家ビジョン」として「一言でいえば21世紀の日本を『多様性のある多民族社会』に変えるということです」「英語を第２公用語にする」「定住外国人に地方参政権を与える」「日本の制度やシステムの中で国際基準と合致しないものを一括して見直す」などの記載がある。

統治（divide and rule）」のポリコレ版です。

「日本列島は日本人だけの所有物じゃない」って言った首相（鳩山由紀夫）が昔いましたが、あれと同じことを言っているのですね。

もちろん、歴史的に見れば、日本はもともと〝多民族が暮らす社会〟ではあったんです。東西南北あらゆるところから、いろいろな民族が日本を目指して来ましたからね。

だけど、日本で同化したんですよ。ひとつの民族に〝なった〟んです。

僕が「日本は単一民族国家だ」と言っているのはそういう意味です。純血の民族なんて世界中どこを探してもいないので、そんなことに意味はありません。

それよりも、日本という単一性の中でまとまっている国家だという、ここが大事なんです。

「まとまる」「まとめる」というのは、そもそも天壌《てんじょう》無窮《むきゅう》の神勅《しんちょく》にある「しらす（治らす：君民一体で一致団結し協力し合うこと）」なのです。

今の天皇陛下も日本をまとめておられる。しらしておられる。

しらす、まとめるということは、党派にかかわらず「日本国民」をまとめるということですね。

ちなみに、反対語で「うしはく」というのもありますが、これは「政治権力で統治する」という意味です。

天皇陛下は自分の好き嫌いは絶対におっしゃらない。自分の好まないような人も、「大御宝《おおみたから》」として慈《いつく》しんでおられる。こんなことは普通の人間はできませんね。

王室がイギリス分裂の危機を救う

岡部：馬渕大使の言われた通り、日本では皇室が国をひとつにまとめていますが、イギリスでも王室がその特別な役割を果たしています。

先ほどスコットランド独立の機運が再燃し、「連合王国」分裂の危機にあると述べましたが、少なくともエリザベス女王がご健在の間は、分離独立することはないと考えます。「国民統合の象徴」として国民全体から敬愛される存在が「権威」となり、女王と王室が両国を結ぶ媒介の役目を果たし、仮に独立したとしてもスコットランドもエリザベス女王をともに君主にいただく同君連合（複数の国家が同一の君主をいただいて連合する体制）として、英連邦にとどまり完全に分裂できないと思います。中世以来続くイギリス王室が「連合王国」崩壊の危機を救う切り札となりうると思います。

スコットランドとのイギリス王室の関係は、連合王国の中でも極めて強いです。エリザベス女王の母親はスコットランドの名門貴族出身なので、女王にはスコットランドの血が流れています。また、女王をはじめとする王室のメンバーは、毎年夏になると、スコットランドのハイランド地方アバディーンにあるバルモラル城で休暇を過ごしています。加えて、チャールズ皇太子が通った高校は父のフィリップ殿下と同じスコットランドの名門寄宿校、

エリザベス女王

ゴードンストウンスクールですし、ウィリアム王子とキャサリン妃が学んだ大学は、スコットランドの名門、セント・アンドリュース大学です。

イギリス王室にとってスコットランドは切っても切れない身近な存在です。

スコットランドの独立派からしてもイングランドと完全に袂《たもと》を分かつことはできないんじゃないでしょうか。

実際、スコットランドのスタージョン首相（SNP党首）は、独立したとしても「王国」を継続し、共和制に変わることはないと明言しています。つまり、今と変わらず、君主には、エリザベス女王を擁立するということです。

スコットランド独立派にとってもイギリス王室は〝安定〟、〝伝統〟、〝継続〟という特別な価

値観を持つ存在であり、国家には不可欠だというわけですね。

このように「連合王国」では、王室がスコットランドや北アイルランドなどの各国を結び付ける「紐帯」ともいうべき特別な存在になっています。

２０２１年４月21日に95歳の誕生日を迎えたエリザベス女王は、１９５２年、25歳の若さで即位して以来、16カ国の主権国家（英連邦王国）の君主として君臨してきました。イギリス史上最高齢であり、イギリス史上最長在位の君主です。

ただエリザベス女王の存在が大きすぎるがゆえに、次期王位継承者であるチャールズ皇太子が同様に国民から慕われ、統合のシンボルとなりうるか、疑問符が付きます。

「君臨すれど、統治せず」――英王室は国民から敬愛されてこそ、社会安定機能を果たします。国民の不満が高まれば、権威が失墜し、女王を中心としたイギリスの「国体」が危うくなります。

そうであればこそ、英国民が愛想《あいそ》を尽かしたヘンリー王子夫妻の王室離脱と王室に人種差別があったとする発言の影響は少なくありません。英王室は国民の信頼を再び取り戻し、「連合王国」崩壊の危機に瀕して分断した国民を統合して欲しいと思います。

日本の皇室とイギリス王室の深い関係とは？

岡部：日本とイギリスはユーラシア大陸の両端でほぼ同じような島国で、工業化を成功させ、議会制民主主義で立憲君主制をとるなどの共通項があります。また、両国民とも皇室・王室に対する敬慕が強い。ロンドン支局時代の助手だったジョン・ビショップ君というイギリス人が「イギリスのエリザベス女王と日本の天皇陛下の存在はよく似ている」と言っていました。

イギリス人が日本に親近感を持っている背景には、アジアで植民地にされたことがない数少ない独立国で、豊かな独自の文化を持っていることに加え、イギリス王室と重ねられる皇室の存在が挙げられます。

日本の皇室は現人神《あらひとがみ》であり、古代から脈々と血統を守ってきた家系です。純粋な日本人の象徴とも言えるでしょう。また、世界で唯一の万世一系の王朝で、米紙『ワシントンポスト』の調べでは、現在世界に存在する26もの王室の中で最も歴史が長いとされています。

イギリス王室は1066年にイングランドを征服（ノルマン・コンクエスト）したノルマンディー公ウィリアム1世（1027～1087）に始まります。

王たちは戦いによって地位を勝ち取った最高特権者であり、国益のために異国人との政略結婚を繰り返してきたため、日本の皇室のように血統を守ってきた唯一の一族というわけではありません。しかし、イギリス王室も、皇室と同様、国民から愛され、「国民統合の象徴」として、社会の安定機能に寄与してきました。

議会制民主主義のイギリスは二大政党制であり、両党派で激しく権力闘争を行ってきましたが、王室という国民全体から敬愛される「権威」があるため、国民のまとまりは守られてきたわけです。

馬渕：日本の天皇も日本国の最高の「権威」であり、権力は国民の代表に委任されているのです。つまり二権分立（権威と権力の分立）の政治体制ですね。イギリスも同様に権威と権力の二権分立体制といえますね。そのせいでしょうか、皇室とイギリス王室は歴史的にも関係が深いですね。

岡部：はい。そもそも、近代日本を初めて訪れた「国賓」がイギリスの王族でした。明治2（1869）年7月、当時のビクトリア女王の次男アルフレッド王子がオーストラリア訪問の帰路に日本に立ち寄っています。皇室とイギリス王室の交流は明治維新直後から約150年もの長きにわたるわけです。

天皇陛下も皇后さまもオックスフォード大学で学ばれたご経験があり、天皇陛下はその後もイギリスを訪問し、エリザベス女王など王室のメンバーと交流を深められてきました。２０１９年10月の天皇陛下の即位の礼には、チャールズ皇太子がエリザベス女王の代理として参列しています。

イギリス王室は二度、天皇皇后を国賓として迎え入れました。１９７１年には昭和天皇と香淳皇后が、１９９８年には上皇ご夫妻が訪問されています。

一方、イギリスからは１９７５年にエリザベス女王と夫のフィリップ殿下が国賓として訪日するなど、ずっと深い関係が続いているんですよね。残念ながらコロナ禍で延期になってしまいましたが、天皇皇后両陛下が即位後初の訪問先としてお選びになったのもイギリスでした。

皇室と王室の深い関係は日英関係の重要な要素であり、両国政府もそのことに非常に重きを置いてきました。

日英が干戈《かんか》を交えた第二次世界大戦後の和解においても、上皇陛下が果たした役割は少なくありません。

戦後のイギリスは日本軍の捕虜となった人たちを中心に、日本への恨みの感情がかなり強く、和解のプロセスが始まるまでに時間を要しました。それに対して、１９９８年の上皇陛下のイギリス訪問が、和解に向けた動きに大きな役割を果たしたというデービッド・ウォーレン元駐日英大使の指摘もあります。もちろん、上皇陛下の訪英は政治的なものではありませんでしたが、イギリスの大衆に日本のメッセージを伝え、和解ムードを高めることに貢献したことは間違いないと思います。

馬渕：今の岡部さんのお話をおうかがいしていてもよくわかりますが、やっぱり皇室も王室も、存在そのものが大変貴重であり、重要なんですよね。

平成１０年（1998年）5月26日。イギリスを訪問された上皇陛下とエリザベス女王　©代表撮影／ロイター／アフロ

イギリスでは王室がそうであるように、皇室は日本国家と国民の力の源泉です。この源を破壊してしまえば、国家と国民の力の低下に繋がることはいうまでもありません。だからこそ、それを狙っている国内外勢力の暗躍に、私たちは警戒を怠ってはなりません。

女系天皇容認論や女性宮家創設問題なんかがまさにそうですよね。これらは皇室制度の形骸《けいがい》化を企んでいる勢力が唱えているとしか思えません。さもなければ、日本の文化によっぽど無知な人たちです。

日本は、世界最古の「和」の民主主義国家であり、世界最先端の「君民一体」の国民国家です。そして、その中心におられるのが天皇陛下です。

先祖から連綿と受け継いできたこの日本国家の屋台骨を守るのは、私たち一人ひとりの役目であることを、しっかりと認識しておかなければなりません。

たとえば「男女平等」ひとつとっても、我々日本人は何も西洋から「男女平等」を教えられたわけではありません。日本は昔から男女平等の国です。さらにいえば、日本は建国の昔からずっと〝自由〟であり、〝平等〟であり、〝博愛〟の国なんです。

フランス革命以後の西洋思想を取り入れたから、日本に自由がもたらされ、民主主義がもたらされ、平等がもたらされ、博愛という思想がもたらされたわけではありません。

そういうことを我々は戦後一切勉強していません。学校でも教えてくれませんし、話題になることもありません。

西洋の一神教の歴史観は進歩史観です。人類はだんだん成長し、だんだん進歩していくという発想です。「発達史観」と言ってもいいですね。常に〝良くないところ〟から〝良いところ〟に向かって進んでいくという歴史観です。

しかし、日本の史観はまったく逆です。日本は、もともと立派だったんです。それが時々曇ってしまうから、原点に戻る。問題があるたびに〝復古〟するというのが日本の歴史観です。ですから、日本に革命はありません。明治維新も〝復古〟ですよね。

もともと人間の魂は完璧だけど、いろいろな状況と環境のもとで完璧さに傷がついていってしまう。でも、それは元に戻せばいい、というのが日本の伝統的な考え方です。これを神道では「祓《はらえ》」と表現しています。間違った想いや心を〝祓う〟ことで、完璧な魂が出てくるというわけです。

ダーウィンは間違っている！共生的進化論史観の国、日本

馬渕：昨今は個性第一主義といいますか、自分の好き嫌いを押し通したりすることが良きことだと思われている節《ふし》があります。でも、それは「個性」というより、欧米流の「自我」ですよね。

近代の思想家が「自我の確立」なんて言って、日本の学者もそれに釣られて「自我を確立しなければならない」なんて考えたわけです。私に言わせたら、「自我って何ですか？」という話ですよ（笑）。

確立なんかしなくても、我々はもともと〝個性〟を持っているんです。自我を確立する教育なんて必要ない。既に存在している個性を引き出してあげるだけでいい。そういう教育をすべ

きです。

「自我を確立せよ！　それこそが近代の精神だ！」なんてことを言っていると、自分と他人を区別することから始めてしまうわけです。そうすると結局は〝対立〟、〝紛争〟、〝差別〟に行き着いてしまう。そして〝闘争史観〟に、さらには〝階級闘争史観〟に染まってしまう。それは日本の歴史観とは相容れないものです。

先ほど申し上げた「復古史観」に加えてもうひとつ、日本はずっと昔から「役割分担史観」でした。個性が違うんだから、それぞれ役割も違います。しかも、それは上下や優劣ではない〝違い〟なんです。

違う個性でそれぞれが役割を果たせば、社会は調和します。あなたが持っている個性では、ここまでできる。ここからは別の個性を持っている人がやる、という感じでね。

もちろん多少の衝突はあります。でも、全体としては、自分の個性を発揮するということは、最終的には調和に繋がるんです。

一方、「衝突させて社会を発展させよう、対立によって社会は発展するのだ」という西洋的な考え方は、階級闘争史観のみならず、ダーウィニズム（イギリスの自然科学者チャールズ・ダーウィン〈１８０９〜１８８２〉の進化理論に基づく概念や思想）にも見られます。たとえば「適者生存」というのは「闘争して勝ち残った者が進化する」という意味ですからね。

だけどそれは間違いと言ってもいいでしょう。

日本では昔から、いろいろな違いを持った人たちが共生することで、発展もしていく、という歴史観、文化観なのです。名付けるなら「共生的進化論史観」です。すでに遺跡調査などで人類が共生的に進化してきたことが証明されつつあります。

ちなみに、１９７０年の大阪万博のテーマは「人類の進歩と調和」でしたが、正確には「人類の調和による進歩」と言った方が適切であったと感じます。同じ「進化論」でもダーウィン的進化論とはまったく違う。ここを理解して欲しいんです。

人間の能力はいろいろあります。たとえば、腕っぷしの強さだけが能力上位の世の中にしてしまったらダメですよね。個性は唯一無二だとみんながわかれば、闘争して優位を示す必然性はなくなるわけです。

「令和」の意味もそうではなかったでしょうか。一人ひとりが違った花を咲かすことができる世の中にします、という意味だというふうに解説されていますね。令和の精神は、一つひとつの花の価値は同等だ、と言っています。大きな花、小さい花、黄色い花、赤い花、全部等しく価値がある、と。

人を教える立場の人は、そういう教育をするべきだと思いますね。

個人がこれからの激動の時代を生き抜くために必要なものとは？

――貴重なお話をたくさんお聞かせいただきありがとうございました。最後にこれから予想される激動の時代に我々は何をすべきか、お二人から読者の方へのメッセージをお願いします。

岡部：今こそ20世紀前半の歴史に学びたいところですね。第二次世界大戦前の日本は国際秩序の動向を完全に読み誤り、利害を共有しうる海洋国家の米英と決別し、敵対してしまいました。それどころか、地政学的な環境を異にするドイツやロシアという大陸国家に接近し、その野心と思惑に振り回され、幻惑され、墓穴を掘ってしまいました。

言うなれば、近代日本は、「日英同盟」を失った時に大きく道を誤ったわけです。米英の〝現状維持勢力〟との絆をなくした結果、日本は、激動するヨーロッパをはじめとする世界の情勢を読み誤り、流転の末に大陸の〝現状変更勢力〟に取り込まれてしまいました。そして、世界秩序に対する危険な挑戦勢力の一員となり、破滅への道を辿ってしまったわけです。

その過去を乗り越えて「新・日英同盟」が実現しつつある今こそ、私たちは歴史の過ちを決して繰り返してはならないと思います。

馬渕：過去の歴史に学ばなければならないという点は、私も岡部さんとまったく同感です。何度も言うように、日本という国は〝復古〟によって危機を乗り越えてきたわけですからね。

今の学校教育やマスコミなどによる〝洗脳〟が続く以上、我々は、日本という国の在り方と、その歴史・文化の本質を自ら積極的に学ばないと知ることができません。

日本は世界一歴史が長い国です。

それはつまり、「歴史に学ぶ作業を積み重ねてきた国」だということです。

我々日本人の中に眠っている〝常識〟はそうやって培われてきました。

だから、私たちがしっかりと歴史に学んでその〝常識〟を呼び覚ませば、これから先の国際情勢も正しく読み取れるようになり、世の中にあふれている〝洗脳〟に惑わされることなく激動の時代を生き抜いていけるようになるはずです。

この本を手に取ってここまで読んでいただいたということは、すでにそういう意識を持っておられるとは思いますが、今後もぜひその〝精神武装〟をより強固なものにしていって欲しいですね。ひとりでも多くの日本人がそうなっていただけることを心から願っています。

あとがき

キューバとウクライナで全権大使を務められ、国際情勢と歴史に通暁《つうぎょう》した保守の論客である馬渕睦夫氏とは、共通点があります。私が2015年から19年まで産経新聞ロンドン支局長として赴任したイギリスで馬渕氏は、在英国日本大使館付き研修員としてケンブリッジ大学を卒業されました。ソ連崩壊後の1996年から2000年までモスクワ支局長を務めたロシアにも馬渕氏はソ連時代に赴任されています。92年から94年までデューク大学とコロンビア大学東アジア研究所に留学し、ノースダコタ州のグランド・フォークス・ヘラルド紙で客員記者を務めた米国でも、馬渕氏はニューヨーク総領事館で外交の最前線に立たれました。

そんな共通体験からか、インターネットテレビ「未来ネット」で、対談させていただくと、不思議と意見が合致して話が弾みました。まずイギリスです。20年の大晦日にEU(欧州連合)から完全離脱したのは、経済的利益よりも伝統文化を尊重したためで内向き志向の孤立主義の結果では決してないという視点です。ブレグジットこそサッチャー首相以来のイギリス保守の本流の思想で、大陸国家連合から海洋国家に戻ることに歴史的必然性があります。

EUと関税ゼロ貿易を継続する一方、EU規則や欧州司法裁判所に従わず、移民制限などの主権を回復する。友好的に離脱して、EUと互恵関係を続けるのはイギリスの勝利と言ってもいいと思います。日本では、ややもすれば、ブレグジットはイギリスの「わがまま」第一主義からと解釈されがちですが、その本質は伝統文化や主権を回復して大英帝国以来の海洋国家への回帰にあると馬渕氏と見解が一致できたことは望外の僥倖でした。

このほかにも、良好な日英関係に、一点の雲だった英軍兵士戦争捕虜問題が過去のものになりつつあるのは、日本が一方的に謝罪、補償するのではなく、互いに許し合う相互理解が進んだという見方も一致しました。私の友人で、陸軍中尉としてインパール作戦で戦った父親を持ち、イギリス人男性と結婚したことから、長年、民間ボランティアとして和解に尽力してきた「ビルマ作戦協会」(正式にはビルマ作戦フェローシップグループ)会長、マクドナルド昭子さんが、まさに「相互理解なくして和解はない」と「憎しみを取り除くため、心を割って歴史から話し合う」ことを実践して訪日した元英兵捕虜と元日本兵がともに靖国神社を訪問するなど成果を上げています。20年8月15日には、日本の終戦記念日にBBCの特集番組で戦後初めて、日本側の立場から日英和解について報告しました。本当に和解するならば、日本が謝罪するだけでなく互いが理解して許しあう必要があるとの馬渕氏の御意見は卓見だと感じました。

トランプ前大統領が去った米国は、分断が広がり、新政権による超大国復活は険しいとの見方も同じでした。バイデン大統領が示した「民主主義と専制主義の闘い」で同盟国と対中包囲網構想については膝を打ちましたが、気候変動に関する主要国首脳会議に、習近平主席とロシアのプーチン大統領を招待したことは、人権や安保などでは中露に敵対的に立ち向かう一方で、気候変動などでは協力する硬軟両様の戦略とはいえ、一抹の不安が漂います。

デジタルと強権手法でコロナ感染拡大を封じ込めた中国は、世界第2位の経済力をテコに軍拡を進め、南、東シナ海で国際法を無視した強引な海洋進出を重ねています。台湾侵攻の野望を隠さず、隙あらば沖縄県・尖閣諸島を奪おうとする「海警局」の船による領海侵入は常態化しています。香港の民主派を弾圧して「一国二制度」を完全に踏みにじり、新疆ウイグル自治区での人権侵害を強化させ、アジアはもちろん世界平和の深刻な攪乱要因となっています。

日本にとって中国は重要な経済的パートナーであると同時に安全保障上の脅威です。中国とビジネスを続けつつ、安保は日米同盟を利用する「いいとこどり」はできません。

対面会談する最初の外国首脳として菅義偉首相を選んだバイデン大統領が日本を重視するのは、普遍的価値観を同じくし、世界平和を脅かす中国と接する最前線の国だからです。米ソ冷戦時代に西独が最前線となったように、今、日本は米中新冷戦の最前線に立たされています。米中対決に第三者的態度をとっていては、アメリカの信頼を失うでしょう。日本の安全と独立を守るには日本自らが中国の脅威に取り組まねばなりません。日本の姿勢が東アジア、ひいては世界の自由民主主義の運命を左右します。そこで参考になるのはブレグジットで経済的損失を覚悟の上で、伝統文化やアイデンティティを求めたイギリスの選択です。対談では、米中新冷戦時代に生き残るには、イギリスが示した「脱中国」を見習うべき、と意見が合致しました。

そのイギリスがEU離脱を契機に「スエズ以東」へ回帰しています。新外交・安全保障の方針で、中国を「経済安全保障上の最大の国家的脅威」と定義し、インド太平洋への関与強化を打ち出しました。そのパートナーとして選んだのが日本です。日本を英語圏5カ国の情報共有の枠組み「ファイブ・アイズ」に招き、中国包囲網の性格を帯びる環太平洋経済連携協定（TPP）に加盟申請して、日本と新たな同盟を結ぶ機運が高まっています。

このラブコールを裏付ける証拠として、17年に安倍晋三前首相に会う目的だけで訪日したメイ前首相が、「日英同盟と呼びたい」と語っていました。外務省の外交専門誌『外交』Vol.66で「安倍外交の7年8カ月を語る」と安倍氏が証言したのです。

「（メイ氏は）EU離脱が既定路線の中で、いかにイギリスのプレゼンスを維持向上させるか、非常に頑張っていた印象があります。特に日英関係を強化したい——彼女は日英同盟と呼びたいと言っていました。私は歴史的経緯から日英同盟の時代は近代日本の黄金時代だったと言うと、彼女もそれを受けて、英国は現在においてもインド太平洋地域でのプレゼンスを回復したいと考えている、そのパートナーとなるのは日本だ、と力強く明言しました。EU離脱後のEPAなど経済連携についても、準備を進めることを約束しました。とても一生懸命さが伝わってくる人物でしたね」

メイ氏の約束通り、イギリスはEU離脱後最初に日本と新経済協定を結びました。イギリスを見習って大陸国家中国から脱して海洋国家へ回帰して、「新・日英同盟」を築き、同盟国の米国を支えながら、日英で自由で開かれた世界秩序を守るべきではないでしょうか。

そしてロシアです。停滞する北方領土交渉は、虚心坦懐《きょしんたんかい》にプーチン大統領と膝を交えるべきではないでしょうか。超大国といわれたソ連と後継国家ロシアが張り子の虎であったことで認識を同じくしました。ロシアが北方4島領有の法的根拠とする「ヤルタ密約」について、その有効性に疑念を抱く米英の協力を元に、原点に立ち返って議論すべきだと見解が一致しました。

最後になりますが、馬渕氏と対談番組を企画いただいた「未来ネット」の濱田麻記子社長、出版を企画していただいたワニブックスの川本悟史氏の御厚情に心から感謝します。

令和3年4月吉日

岡部　伸

Profile

馬渕睦夫（まぶち・むつお）

元駐ウクライナ兼モルドバ大使、元防衛大学校教授、前吉備国際大学客員教授。1946年京都府生まれ。京都大学法学部３年在学中に外務公務員採用上級試験に合格し、1968年外務省入省。1971年研修先のイギリス・ケンブリッジ大学経済学部卒業。2000年駐キューバ大使、2005年駐ウクライナ兼モルドバ大使。退官後、防衛大学校教授（2008～2011年）及び吉備国際大学客員教授（2014～2018年）。著書に、『国難の正体』（ビジネス社）、『2019年　世界の真実』（ワック）、『国際ニュースの読み方 コロナ危機後の「未来」がわかる!』（マガジンハウス）、『日本人が知らない世界の黒幕　メディアが報じない真実』（SB新書）『米中新冷戦の正体　脱中国で日本再生（河添恵子との共著）』（ワニブックス）など多数。

岡部伸（おかべ・のぶる）

産経新聞論説委員。1959年愛媛県生まれ。1981年、立教大学社会学部卒業後、産経新聞社に入社。社会部記者として警視庁や国税庁などを担当したあと、アメリカのデューク大学とコロンビア大学東アジア研究所に留学。「グランド・フォークス・ヘラルド」紙客員記者、外信部を経て、モスクワ支局長、東京本社編集局編集委員。2015年12月から2019年4月までロンドン支局長を務める。著書に、『消えたヤルタ密約緊急電』（新潮選書、第22回山本七平賞受賞作）、『「諜報の神様」と呼ばれた男』『イギリス解体、EU崩落、ロシア台頭』『イギリスの失敗』『賢慮の世界史　国民の知力が国を守る（佐藤優との共著）』（いずれもPHP研究所）『新・日英同盟-100年後の武士道と騎士道』（白秋社）など多数。

本書籍は、インターネット番組『「ひとりがたり馬渕睦夫」ー特別編　ゲスト岡部伸』（製作:未来ネット）の回、月刊『WiLL』（2021年1月号）に掲載されたもの（第１章）、また独自対談などを元に大幅に加筆・修正し企画・構成いたしました。

新《しん》・日英《にちえい》同盟《どうめい》と脱中国《だつちゅうごく》
新《あら》たな希望《きぼう》

2021年6月15日　初版発行
2021年8月10日　2版発行

構　成　吉田渉吾
編集協力　未来ネット（旧：林原チャンネル）
　　　　高谷賢治
校　正　大熊真一（ロスタイム）
編　集　川本悟史（ワニブックス）

発行者　横内正昭
編集人　岩尾雅彦

発行所　〒150-8482
　　　　東京都渋谷区恵比寿4-4-9 えびす大黒 ビル
　　　　電話　03-5449-2711（代表）
　　　　　　　03-5449-2716（編集部）
　　　　ワニブックスHP　http://www.wani.co.jp/
　　　　WANI BOOKOUT　http://www.wanibookout.com/
　　　　WANI BOOKS News Crunch　https://wanibooks-newscrunch.com/

印刷所　株式会社 光邦
ＤＴＰ　アクアスピリット
製本所　ナショナル製本

ISBN 978-4-8470-7055-6